MW00396658

New Approaches to Learning Chinese

新编基础汉语

Rapid Literacy in Chinese

集中识字

北京语言文化大学

张朋朋　著

识

字

篇

华语教学出版社

SINOLINGUA

谨献给
给予我支持的
苏黎世大学东亚研究所
Robert H. Gassmann 教授
Brigitte Kölla 老师和汉语学系的同学们

First Edition   2001
Sixth Printing   2008

ISBN 978-7-80052-695-4
Copyright 2001 by Sinolingua
Published by Sinolingua
24 Baiwanzhuang Road，Beijing 100037，China
Tel：(86) 10-68320585
Fax：(86) 10-68326333
http：//www. sinolingua. com. cn
E-mail：hyjx@sinolingua. com. cn
Printed by Beijing Mixing Printing House
Distributed by China International
Book Trading Corporation
35 Chegongzhuang Xilu，P. O. Box 399
Beijing 100044，China

Printed in the People's Republic of China

目　录

CONTENTS

前　言

　　对于外国人来说，学习和掌握汉语和汉字并不是一件非常困难的事情。过去，人们之所以不这样认为，主要是和教授这种语言和文字的方法不当有关。

　　过去，教授汉语和汉字一般是采用"语文一体"的方法，即"口语"和"文字"的教学同步进行。这种方法和教授英、法语等使用拼音文字的语言是一样的。本人认为："语文一体"的方法对于教授拼音文字的语言是合理和有效的，但用于教授汉语、汉字是不合适的，这是使外国人对学习汉语产生畏难情绪的主要原因。

　　一、汉字不是拼音文字。汉字是一种从象形文字发展而来的表意文字。汉字的形体不表示汉语的语音。因此，如果采用"语文一体"的方法，口语的内容用汉字来书写，将不利于学习者学习口语的发音，使汉字成为了他们学习口语的"绊脚石"。

　　二、汉字的字形是一个以一定数量的构件按照一定的规则进行组合的系统。因此，教学上，应先教这一定数量的构件及组合规则，然后再教由这些构件所组合的汉字。可是，"语文一体"的教法必然形成"文从语"的教学体系。也就是说，学什么话，教什么字。这种教法，汉字出现的顺序杂乱无章，体现不出汉字字形教学的系统性和规律性，从而大大增加了汉字教学的难度。

　　三、汉字具有构词性，有限的汉字构成了无限的词。"词"是由"字"构成的，知道了字音可以读出词音，知道了字义便于理解词义，"字"学的越多，会念的"词"就越多，学习"词"就越容易。也就是说，"识字量"决定了"识词量"。因此，汉语书面阅读教学应该以汉字作为教学的基本单位，应该把提高学习者的"识字量"作为教学的主要目标。"文从语"的做法恰恰是不可能做到这一点。因为，教材的编写从口语教学的要求和原则来考虑，自然要以"词"作为教学的基本单位。由于口语中能独立运用的最小的造句单位是"词"，所以在教"中国"一词时，必然只介绍"China"这一词义，而不会介绍"中"和"国"两个字的字义。中国语文教学历来是以"识字量"作为衡量一个人书面阅读能力强弱的标准，而"语文一体"这种教法等于是取消了汉字教学，从而大大影响了汉语书面阅读教学的效率。

　　综上所述，如果根据汉语和汉字的特点来对外国人进行基础汉语教学的话，在总体设计上就不应采用"语文一体"的模式，我认为应该遵循以下几个原则来设计：

● 教学初期把"语"和"文"分开。

　　实现的方式是：口语教学主要借助汉语拼音来进行，对汉字不做要求。这样，使汉字不成其为"绊脚石"，使口语教学将变得极为容易。汉字教学另编教材，先进行汉字的字形教学，教材的内容从基本笔画入手，以部首为纲，以构件组合为核心。汉字字形教学和口语教学并行，这样，既有利于口语教学，又使汉字的字形教学具有了系统性和规律性。系统而有规律地进行汉字教学不仅可以大大降低学习的难度，而且从一开始就给了学习者一把开启神秘汉字大门的钥匙，这对他们是受益无穷的。

● **先进行口语教学和汉字字形教学，后进行识字阅读教学。**

也就是说，对汉字的认读教学不要在初期阶段进行，而应安排在进行了一段口语和在结束了汉字字形教学之后。因为，具有了口语能力和书写汉字的技能对识字教学有促进作用，从而可以使学习者较为轻松地跨越"识字"这第二道"门槛"。

● **阅读教学应以识字教学打头，采用独特的识字教学法。**

"识字教学"和"写字教学"一样也是汉语教学中所独有的教学环节，应该根据汉字的特点编写适合外国人使用的识字课本。识字课本应以"字"作为教学的基本单位，以"以字组词"为核心，以快速提高学生的识字量和阅读能力为教学目标。

● **识字教学要和口语教学、阅读教学相结合。**

具体做法是用所识的字和词编写口语对话体课文和叙述体散文作为这一阶段教材的内容。这一阶段的教学从程序上是一环扣一环的，从练习方式上是一种有听、有说、有读、有写的综合式教学。

上述总体设计图示：

第一阶段	第二阶段	
口语课（学习并使用汉语拼音）	综合课	识字教学（集中识字） 口语教学（使用汉字） 阅读教学（散文小品） 写字教学（书写字句）
写字课（学习汉字的基本构件）		

根据上述原则，本人编写了一套基础汉语教程。本教程包括三本教材：
一是口语篇，书名是《口语速成》。此书用于口语课。
二是写字篇，书名是《常用汉字部首》。此书用于写字课。
三是识字篇，书名是《集中识字》。此书用于综合课。

使用这套教材，初学者先学习《口语速成》和《常用汉字部首》，学完之后再学习《识字课本》，就像吃西餐一样，一道菜一道菜来，循序渐进。这样，学习者不仅不会觉得汉语难学，而且还会被汉字的文化内涵和艺术魅力所深深吸引。

张朋朋

Introduction

The Chinese language has for too long been perceived as being beyond the grasp of the foreign learner. This misconception has been caused, unfortunately, for the most part by an improper teaching approach.

For several decades the spoken and written form of Chinese have been taught simultaneously to beginners. There is nothing wrong with this approach in teaching Western languages like French or English that employ a phonetic system or alphabet as an aid to learning pronunciation, but it is certainly not the best method for teaching the Chinese spoken language and Chinese characters. The reasons for this are threefold:

1. Chinese characters cannot be read phonetically. Chinese characters developed from pictographs into ideographs. This means that there is no direct relationship between the form and structure of Chinese characters and their pronunciation. So the hotchpotch teaching of both the spoken language and Chinese characters at the beginning stage will not help foreign learners master pronunciation, and the characters will, if anything, only be a stumbling block to their acquisition of oral fluency.

2. Each Chinese character is made up of components that follow a specific stroke order and rules of formation. So it is logical that the simple component be taught first, progressing to the more complicated component and whole characters. But in the approach of teaching speaking and writing simultaneously, whatever is learnt in the spoken language will be followed by a corresponding written character. Obviously, in this approach the characters are not chosen systematically according to their structural compositions, and so the rules that govern the writing of Chinese characters are not reflected, making the teaching and learning of characters only more chaotic and difficult.

3. Chinese characters should form the basis of courses in reading texts. Single syllable characters can be combined to make various disyllabic or multi-syllabic words. There are unlimited combinations that can be made by adding characters to change or expand meanings. If you know how to pronounce some characters, it follows that you will be able to read the word they form. Knowing the meaning of certain characters will help you understand the meaning of the word they make. As you learn more characters, your ability to recognize more words increases. Learning words thus becomes easier. Since character recognition determines word recognition, the main objective in teaching Chinese characters should be to raise the learner's level of character recognition.

However, this is not possible with the "writing following speaking" approach. When teaching colloquial Chinese we naturally use words instead of characters as the basis of teaching because the word is the smallest unit in making a sentence. When teaching the word 中国 for example, we will invariably explain its meaning with the English "China", but the two characters that make up the word 中 "middle" and 国 "kingdom" are not explained. Traditional Chinese language teaching has always used "character recognition" as the criterion in judging a learner's ability to read texts. The "writing following speaking" approach simply disregards the necessity of teaching the characters on their own

3

and does not give the characters the place they deserve, thus greatly reducing the efficiency of teaching Chinese reading.

Our new approach may be summarized as follows:

• In the initial stages of learning, "spoken Chinese" and "character recognition and writing" should be taught separately.

• Teaching materials for oral class use mainly a system of romanization called *Hanyu pinyin*. The students are not required to deal with the characters. There are obvious reasons for this. Learning to speak Chinese becomes a lot easier using a phonetic system of romanization.

• When teaching spoken Chinese we start to introduce systematically the form of Chinese characters: the strokes, radicals (radicals are the basic components of Chinese characters), and the structural components. These "stumbling blocks" become much more friendly in this way, and the students are given a key to the secret of Chinese characters which will help them greatly in their later reading stage.

• Then proceed to the reading stage by learning to read characters. Only when the learner is able to speak and has learned the form and structure of characters can we begin to teach him how to read. Texts should be specially designed, focusing on character recognition and word formations, with the aim of quickly enlarging vocabulary and acquiring reading ability.

• In the reading stage character learning should be combined with continuous spoken language training and reading aptitude training. The texts should be put in the form of dialogues and narrative prose pieces written with the characters learned in each lesson, so they are very short, and easy to read and remember. The exercises should include comprehensive forms of listening, speaking, reading and writing that are closely linked and complementary to each other.

What is discussed above can be illustrated as below:

| Initial stage | Second stage |

Oral Course	**Comprehensive Course**
Learn to use *pinyin*	Character learning: intensive training
Writing Course	Oral training: application of characters
Learn the basic structural components of characters	Reading: prose, etc.
	Writing: characters and sentences

Based on the above design and consideration, *New Approaches to Learning Chinese* has been devised, which includes three textbooks:

Intensive Spoken Chinese (oral course)

Includes 40 conversational lessons, about 1, 000 commonly used words and numerous grammatical notes.

The Most Common Chinese Radicals (writing course)

Contains about 100 Chinese radicals and the basic structure of Chinese characters.

Rapid Literacy in Chinese (comprehensive course)

Uses 750 commonly used Chinese characters and 1300 words formed from them to make 25 short sentences, 25 conversational dialogues and four narrative prose pieces.

Beginners who have completed *Intensive Spoken Chinese* and *The Most Common Chinese Radicals* can proceed to *Rapid Literacy in Chinese*. So by going step by step they will feel that learning Chinese is not difficult at all. Furthermore, there is much that can be learned about Chinese culture from Chinese characters, besides their alluring charm and fascination.

Zhang Pengpeng

编写体例

本书是以识字为主要目的，是在基础汉语教学阶段后期使用的综合性教材。

本书由五部分组成，即识字、组词、口语、写字和阅读。

一、识字部分

本书以识字教学打头，每课的首页是识字部分，采用的是集中识字的方法，其设计是一课让学生识 30 个字。全书 25 课，共识字 750 个。识字部分在编写上遵循了以下五条原则：

● 连字成句。

因为 30 个孤立的汉字，学生很难记住，故本书每课用 30 个汉字编写一个句子。

● 句子含汉字量大，但又要短小。

因为汉字认读困难，记忆字音难，字音必须通过多次反复的认读才能记住，所以句子短小有利于学习者反复认读和背诵，使他们在最少的时间里可以获得最多的重复认读的次数。为了做到这一点，本书在编写短句时尽量不重复或少重复用字。

● 句子的内容贴近日常口语。

有关研究证明：学习者在口语中说过的字（词）感知和发音就比较容易。识字教学安排在进行了一段口语教学后，如果识字短句的内容贴近口语将有利于学习者记忆字音。

● 既介绍词音、词义，又介绍字音、字义。

对每个短句中所出现的字以及由字组成的词都要注明字音、字义和词音、词义。

● 使用常用字。

本书所选用的汉字尽可能是使用频率高和构词能力强的常用字。

二、组词部分

在识字的基础上用字组词。每课第二页的左侧是组词部分。一课出新组的词 30 个，尽可能是常用词。

三、口语部分

每课第二页的右侧是口语部分。口语课文围绕日常生活交际的内容来编写，并且用上所新学的词语。这部分内容要让学习者朗读，也可以进行口语会话练习。

四、写字部分

通过第一阶段的写字教学，学习者已经具有了书写汉字的能力，所以在第二阶段最重要的是将所教授的汉字清晰地展现给学生，为此，本书在每课的第二页的底部把本课所教的新汉字用大号字体排出，以便学习者摩写。

五、阅读部分

从第十课起，每隔几课后有一篇叙述体短文。其目的，一是复习巩固所识的汉字，二是由识字教学逐渐过渡到短文阅读教学，这也是识字教学的最终目标。

本书每课中的 30 个生字、短句、组词和口语部分均配有录音磁带。每课的繁体字短句和语法注释以及书后的短句英文翻译，教学中可根据学习者的情况酌情使用。

To the User

The aim of this comprehensive course is to quickly enlarge students' vocabulary. It is designed for students who have learned *pinyin* and the basic structural components of characters, preferably having completed *Intensive Spoken Chinese* and *The Most Common Chinese Radicals*. This textbook consists of five parts: character learning, word formation, oral training, character writing and reading.

1. Character learning

The texts start with concentrated character learning: The student is expected to learn 30 new characters in each lesson, for a command of 750 characters after finishing the 25 lessons of this book. The character learning part has been designed in accordance with the following five principles:

- Combining the characters into a sentence

As it is rather difficult to remember 30 isolated characters, in each lesson they are combined into one sentence which forms the major text. By memorizing just one sentence, the student thus learns all the new characters in the lesson.

- Short sentences, containing as many new characters as possible.

As the Chinese characters are hard to read and pronounce and one can remember the sound only after repeated reading, short sentences help to make this task easier. The texts are designed by using as few "old" characters as possible, keeping the repetition of characters to a minimum, so that the students can read and recite the texts repeatedly in the shortest possible time.

- The sentences are closely related to daily life.

It has been shown that after a character or a word has been spoken in an oral class, it is easier for one to perceive and pronounce at this stage. If the content of the sentence is similar to that of everyday speech, it will be even easier to remember the sound of it.

- The pronunciation and meaning of both the characters and the words they form should be introduced at the same time.

- Only commonly used characters are chosen.

All of the characters chosen here are the ones most frequently used in forming common words and phrases.

2. Word formation

After introducing the 30 new characters, each text proceeds to provide 30 commonly used words formed by them on the left side of the second page in each lesson.

3. Oral training

This section can be found on the right side of the second page in each lesson. The oral texts are closely related to daily communication and are compiled by incorporating newly learned characters. This part is prepared for reading aloud, and can also be employed for conversation practice.

4. Character writing

Since the student has acquired the basic knowledge of how to write characters in the radicals and components course in the first stage, in this book the new characters are clearly shown at the bottom of the second page in each lesson, enlarged, for students to copy and practice.

5. Reading

Starting at Lesson 10, there is an atricle after a few lessons. This is for the student to review the characters already learned and also provide a transition from character learning to reading, which is the ultimate aim of character learning.

To make study more convenient, the 30 newly introduced characters, the single-sentence text, the word formation and oral training parts in each lesson are all accompanied by aural cassettes. Also provided in the book are the unsimplified character versions and the English translations of the single-sentence texts, as well as the grammatical notes in both Chinese and English. They can be used at the teacher's or the student's discretion.

【 750 常用字 】

啊矮爱安八吧把爸白百摆班般办半伴帮包报抱杯北备被本比笔必毕边
变表别冰并病播不步部才材菜参餐操查茶察差长常厂场唱超朝炒车晨
成城吃持出除楚处穿传窗春词次从村存错答打大代带单但当导倒到道
得的等低地弟第典点电店定丢东冬懂动都读肚度锻队对多饿儿而二发
法翻烦反饭方房访放飞非分份风封否夫服福父妇负附傅该干感刚钢高
搞告哥歌格个各给根跟更工公功共够姑古瓜刮挂怪关观馆惯广贵国果
过孩海害寒汉航好号喝合何和河黑很红后候呼忽胡虎互户护花滑化画
话欢还黄灰回会婚活火伙或机积绩级极集几计记纪际季既继寄加家架
假嫁间检简见件健江将讲交角脚叫较教街节结姐解介界借今斤金近进
京经晴精净静究九酒旧就居局橘举句据决绝觉军开看康考科棵可渴克
刻客课空口裤块快困啦来蓝览懒老乐累冷离礼李里理力立丽利例俩连
联脸练炼凉两亮了林零龄另流留六楼路旅绿乱论妈麻马吗买卖满慢忙
毛冒貌么没每美妹门们迷米密棉面民名明模末某母目拿哪那男南难呢
内能你年念娘您农女怕排牌盘旁跑朋皮啤片偏漂票品平瓶扑七期齐其
奇骑棋起气汽千前钱浅墙且切亲青轻清情晴请秋求球区曲去趣全却确
然让热人认日容肉如赛三嫂色沙山商上烧少绍舍社身深神生声省师诗
十什时识实食使始世市示式事视试室是适收手首瘦书叔舒熟属术树数
双谁水睡说丝司思死四送诉素宿算岁所他她它台太堂躺套特疼踢提题
体天添条跳贴铁厅听庭停挺通同统头图腿退托外完玩晚碗王忘望为围
未位温文闻问我握屋五午舞务物西希息悉习喜系细下夏先显县现相香
想向象像小校笑些鞋写谢心新信兴星行姓幸性休需许续选学雪严言研
颜眼演验羊样药要也业夜一衣医已以椅艺议译易意因阴音应英营影映
永泳用邮油游友有又右于鱼与雨语育预遇员园圆远院约月越云运杂再
在咱早则择怎增展站张招着找照者这真整正证之支知直职只址志致中
钟种重周主住助注祝著专转装准桌子字自总走租足祖最昨左作坐座做

1

【 识 字 二 十 五 句 】

01　我女朋友是一九六七年五月二十八号出生的，今年三十四岁，这个星期天是她的生日。

02　王先生是一位非常有经验的男老师，在北京大学工作，他专教留学生学习现代汉语和书法。

03　如果你不知道咱们学校食堂和餐厅服务员叫什么名字，就可以问她们："小姐，您贵姓？"

04　中国熟悉的人见面打招呼和在街上遇见的时候不怎么爱说："你好！"，最喜欢问："你上哪儿去啊？""吃饭了吗？"

05　从明天开始，每天早上七点一刻我都要骑自行车到教室上课，练发音、念课文、记单词、听写汉字、回答问题。

06　后天下午差五分钟四点，她也准备再跟班上的几个同学一起坐出租汽车和地铁去"新世界"商店买些生活用品。

07　半公斤水果、一双皮鞋、两支钢笔，三本杂志、四条棉毛裤、五件运动衣、六张导游图，共一千三百块。

08　昨晚我们俩又饿又渴，要了份鱼香肉丝、一盘素炒空心菜、一个冷盘儿、两碗米饭，喝了两杯热茶、五瓶啤酒，花了不少钱。

09　林叔叔家人口真多，有爸爸、妈妈、哥哥、嫂子、弟弟和妹妹。另外，他祖父母呢，以前是军队干部，已经退休很长时间了。

10　这孩子挺有抱负，属羊，大学还没毕业，数理化考试各门功课成绩都不错，将来想搞自然科学，当研究员。

11　通过新闻记者介绍，我认识了那位漂亮文静的山东姑娘，她是旅行社翻译，能读懂几句古诗，英语说得很流利。

12　上海电视台节目主持人，细高个儿，瘦长腿，瓜子脸，眼睛美丽迷人，谁都说够精神的，简直像影片中的模特儿。

13 超级市场上卖的妇女服装有红的、白的、黑的、绿的、橘黄、深蓝和浅灰色的，选择穿什么颜色和式样的反映了人的性格和需求。

14 中国人表示礼貌的方式与西方人区别确实比较明显，例如：关系密切或亲近的人之间互相帮助的时候，不必总说："谢谢！"

15 根据我的观察，在村子里居住的农民有种传统习惯，收到来访客人送的礼物以后一般不打开看，否则会让人笑话和被人议论。

16 我感冒了，发烧，肚子不舒服，头疼死了。省立医院大夫给我检查后讲："是着凉，别害怕，病不太严重，注意休息，吃些药吧。"

17 因为他积极参加体育锻炼，冬天滑冰，夏天去河里游泳，春秋两季踢足球、打排球、进行比赛，所以身体越来越健康。

18 刚才广播气象预报：寒流快到了，明晨有雨加雪，风向偏南，最低温度零下五度。夜间阴转晴，多云，刮北风，风力变小约四级。

19 某计算机公司离首都展览馆很远，在圆明园附近，周围有许多棵树，正对面有一座楼房，旁边是火车站和存车处。

20 宿舍内挺干净，屋子墙上挂满了著名的油画，桌上有本旧语言学词典，两把躺椅摆得很整齐，窗户旁的书架上放着一套胡适全集。

21 邮局营业员觉得他的航空信封写得不但奇怪，而且使人看不清楚，告诉他，右下角应该只写寄信人地址，左边绝不能乱贴纪念邮票。

22 在金沙江飞机场托运完行李，继续朝前走，忽然她停住脚步，第一次握着我的手轻声说："希望你永远幸福！祝你一路平安！"

23 何师傅做事马虎，丢这忘那，请他把手提包里的护照和借书证带来，结果，他却把其它东西拿来啦，等于是帮倒忙，增添麻烦。

24 连县城工厂的大龄未婚青年慢慢也了解了：决定找个既有意思又不累的职业并不容易，嫁个身材不矮、兴趣一致的有情人更困难。

25 假日他除了睡懒觉，还常去跑步，做艺术体操，演唱歌曲，跳交际舞，玩扑克牌，下象棋，或者联合小伙伴举办周末家庭音乐会。

1	一	yī	one			
2	二	èr	two			
3	三	sān	three			
4	四	sì	four			
5	五	wǔ	five	五月	wǔyuè	May
6	六	liù	six			
7	七	qī	seven			
8	八	bā	eight	二十八	èrshíbā	twenty eight
9	九	jiǔ	nine			
10	十	shí	ten	三十四	sānshísì	thirty four
11	我	wǒ	I, me			
12	女	nǚ	woman, daughter; female	女朋友	nǚ péngyou	girlfriend
13	朋	péng	friend			
14	友	yǒu	friend	朋友	péngyou	friend
15	是	shì	be			
16	年	nián	year	一九六七年	yījiǔliùqī nián	in 1967
17	月	yuè	month, the moon			
18	号 [號]	hào	number, date, mark			
19	出	chū	go out			
20	生	shēng	give birth to, grow; life; raw	出生	chūshēng	be born
21	的	de	(a structural particle)			
22	今	jīn	today, now	今年	jīnnián	this year
23	岁 [歲]	suì	year (of age)			
24	这 [這]	zhè	this			
25	个 [個]	gè	(a measure word)			
26	星	xīng	star			
27	期	qī	a period of time, phase	星期	xīngqī	week
28	天	tiān	day, sky, heaven	星期天	xīngqītiān	Sunday
29	她	tā	she	她的	tāde	her
30	日	rì	day, sun	生日	shēngrì	birthday

短
句　我女朋友是一九六七年五月二十八号出生的，今年三十四岁，这
个星期天是她的生日。

Wǒ nǚpéngyǒu shì yījiǔliùqī nián wǔyuè èrshíbā hào chūshēng de, jīnnián sānshísì suì, zhè gè xīngqītiān shì tā de shēngrì.

繁
體　我女朋友是一九六七年五月二十八號出生的，今年三十四歲，這
個星期天是她的生日。

4

组　词		口　语

<table>
<tr><td>四十</td><td>forty</td></tr>
<tr><td>五十</td><td>fifty</td></tr>
<tr><td>六十</td><td>sixty</td></tr>
<tr><td>七十</td><td>seventy</td></tr>
<tr><td>八十</td><td>eighty</td></tr>
<tr><td>九十</td><td>ninety</td></tr>
<tr><td>一月</td><td>January</td></tr>
<tr><td>二月</td><td>February</td></tr>
<tr><td>三月</td><td>March</td></tr>
<tr><td>四月</td><td>April</td></tr>
<tr><td>五月</td><td>May</td></tr>
<tr><td>六月</td><td>June</td></tr>
<tr><td>八月</td><td>August</td></tr>
<tr><td>九月</td><td>September</td></tr>
<tr><td>十月</td><td>October</td></tr>
<tr><td>十一月</td><td>November</td></tr>
<tr><td>十二月</td><td>December</td></tr>
<tr><td>星期一</td><td>Monday</td></tr>
<tr><td>星期二</td><td>Tuesday</td></tr>
<tr><td>星期三</td><td>Wednesday</td></tr>
<tr><td>星期四</td><td>Thursday</td></tr>
<tr><td>星期五</td><td>Friday</td></tr>
<tr><td>星期六</td><td>Saturday</td></tr>
<tr><td>星期日</td><td>Sunday</td></tr>
<tr><td>日期</td><td>date</td></tr>
<tr><td>今天</td><td>today</td></tr>
<tr><td>天天</td><td>everyday</td></tr>
<tr><td>月月</td><td>every month</td></tr>
<tr><td>年年</td><td>every year</td></tr>
<tr><td>我的</td><td>my; mine</td></tr>
<tr><td>一个月</td><td>one month</td></tr>
<tr><td>三年</td><td>three years</td></tr>
</table>

（一）

今天星期一。

今天五月二十七号。

今年是一九八九年。

四月十七号是星期日。

五月四号是我的生日。

我女朋友的生日是八月六号。

星期天是她朋友的生日。

我的生日是这个星期六。

这个月是十二月。

这个星期三是我的生日。

这是她的出生日期。

这是她的朋友。

她是女的。

她是我的女朋友。

她是我的朋友。

我是一九四七年出生的。

（二）

今天是我朋友的生日，她今年四十六岁。她是一九五四年八月十三号出生的。我今年五十九岁。我的出生日期是一九四一年十二月十七日。

一	二	三	四	五	六	七	八	九	十
我	女	朋	友	是	年	月	号	出	生
的	今	岁	这	个	星	期	天	她	日

5

● 日期表达的顺序是，年、月、日、星期。如：

The order of the date is written as follows: the year, month, date and day, e. g.

一九五八年七月二十六号星期三

● 名词或代词作定语表示领属，后面一般要用结构助词"的"。中心语如果是表示亲属或某些人与人的关系的名词时，"的"可以省略。如：

When used attributively to show possession, a noun or pronoun usually takes the structural particle 的 after it. When placed between a personal pronoun and a noun indicating personal relations, 的 may be omitted, e. g.

N 的 N

我 的 朋友 ＝ 我 朋友

她 的 朋友 ＝ 她 朋友

我朋友 的 生日

● 由名词或名词结构、数量词等直接作谓语的句子叫名词谓语句。这种句子一般不用动词"是"。如：

A sentence in which the main element of the predicate is a noun, a nominal construction or a numeral-measure word is called a sentence with a nominal predicate. The verb 是 is, as a rule, not used in a sentence of this kind, e. g.

S　　　N

今年三十四岁。

今天星期一。

今天五月六号。

● "是……的"结构强调已经发生动作的时间、地点、方式等。"是"在所要强调的部分之前（有时"是"可省略），"的"在动词后或句尾。如：

是 … 的 is used in a sentence to emphasize the time, place or manner of an action which took place in the past. 是 is placed before the word group that is emphasized （是 may sometimes be omitted） and 的 comes after the verb or at the end of the sentence, e. g.

S 是　　T　　V 的

我朋友 是 一九七三年 出生 的。

● 指示代词"这"作定语时，名词前要用量词。如：

When the demonstrative pronoun 这 functions as an attributive, the noun it qualifies also takes a measure word before it, e. g.

这个月

这个星期天

● **选择正确的位置**　Choose a correct position:

1. A 我 B 一九七八年 C 八月十号 D 出生的。

　　　　　　是

2. A 四月 B 是我朋友 C 的生日 D。

　　　　　五号

3. 这个 A 星期三是我 B 女 C 朋友 D 生日。

　　　　　　的

● **选择正确的答案**　Choose a correct answer:

1. 今年是一九九八年，我是一九七六年出生的。我今年_____岁。

　　A.　二十

　　B.　二十三

　　C.　十八

　　D.　二十二

2. 今天是五月三号，星期二。五月八号是星期_____。

　　A.　五

　　B.　六

　　C.　天

　　D.　四

3. 她是一九五一年出生的，今年四十五岁。今年是_____。

　　A.　一九九五年

　　B.　一九九六年

　　C.　一九九七年

　　D.　一九九八年

【 识 字 二 】

1	王	wáng	(a surname), king			
2	先	xiān	earlier; first; before	先生	xiānsheng	Mr., gentleman
3	位	wèi	(a measure word); place			
4	非	fēi	not; wrong; (abbr. for Africa)			
5	常	cháng	often; ordinary	非常	fēicháng	very
6	有	yǒu	have; there is			
7	经 [經]	jīng	pass through			
8	验 [驗]	yàn	examine	经验	jīngyàn	experience
9	男	nán	male			
10	老	lǎo	old; always			
11	师 [師]	shī	teacher	老师	lǎoshī	teacher
12	在	zài	be at, in			
13	北	běi	north			
14	京	jīng	capital	北京	Běijīng	Beijing
15	大	dà	big, eldest	大学	dàxué	university
16	学 [學]	xué	study; learning	留学	liúxué	study abroad
17	工	gōng	work			
18	作	zuò	do	工作	gōngzuò	work; job
19	他	tā	he			
20	专 [專]	zhuān	special			
21	教	jiāo	teach			
		jiào	teaching, religion	教师	jiàoshī	teacher
22	留	liú	remain, keep, accept, leave	留学生	liúxuéshēng	student studying abroad
23	习 [習]	xí	practice	学习	xuéxí	study
24	现 [現]	xiàn	present; appear			
25	代	dài	historical period, generation	现代	xiàndài	modern times
26	汉 [漢]	hàn	the Han nationality			
27	语 [語]	yǔ	language	汉语	Hànyǔ	the Chinese language
28	和	hé	and			
29	书 [書]	shū	book; write			
30	法	fǎ	method, law	书法	shūfǎ	calligraphy

短句
王先生是一位非常有经验的男老师，在北京大学工作，他专教留学生学习现代汉语和书法。

Wáng xiānsheng shì yí wèi fēicháng yǒu jīngyàn de nán lǎoshī, zài Běijīng Dàxué gōngzuò, tā zhuān jiāo liúxuéshēng xuéxí xiàndài Hànyǔ hé shūfǎ.

繁體
王先生是一位非常有經驗的男老師，在北京大學工作，他專教留學生學習現代漢語和書法。

8

| 组　词 | | 口　语 |

组　词

常常	often
经常	frequently
常年	perennial
老年	old age
有的	some
男朋友	boyfriend
教师	teacher
教学	teaching
教学法	teaching method
学生	student
大学生	大学的学生
师生	老师和学生
学位	academic degree
学年	school year
学期	semester
北大	北京大学
师大	normal university
汉学	sinology
汉代	the Han Dynasty
现在	now
他的	his
老师的	teacher's
学生的	student's
作法	way (of action)
语法	grammar
法语	French
日语	Japanese
法语书	French book
汉语书	Chinese book
日语书	Japanese book
一位老师	one teacher
三位朋友	three friends

口　语

（一）

现在我在大学工作，是大学的汉语教师。

一九八五年我在北京留学，是北师大的留学生。我学习现代汉语和汉语教学法。

我有三位老师，一位是王先生，一位是常先生，一位是师先生。王先生是我的汉语老师。他是北师大的一位老教师，他教学非常有经验。常老师专教语法，师老师专教书法。

我的男朋友现在在北京的一个大学工作，他在这个大学教法语。

（二）

王先生是北大的老教师，一九三八年五月二十四号出生，今年五十八岁。今天是他的生日。他是一位非常有经验的法语老师。这个学期他教大三的学生现代法语语法。

王先生的一位老朋友是老年大学的老师，他经常在这个大学教日语。

他的一个学生在师大工作。他有汉语书、法语书和日语书。他天天教留学生现代汉语。现在他有五个男学生，八个女学生。

王	先	位	非	常	有	经	验	男	老
师	在	北	京	大	学	工	作	他	专
教	留	习	现	代	汉	语	和	书	法

语　法　Grammar

- 名词作定语，是说明中心语性质的，一般不用"的"。如：

When a noun is used to modify another noun, it usually doesn't take 的 after it, e. g.

N	N

汉语老师

现代汉语

- 形容词结构作定语必须加"的"。如：

An adjective construction, when used attributively, must take 的 after it, e. g.

adj	的	N

有经验　的　老师

- 介词"在"跟它的宾语组成的介词结构，作状语时在动词前。如：

The preposition 在, together with its object, forms a prepositional construction, which is often placed before the verb as an adverbial adjunct, e. g.

S	P	O	V	O

他　在　北京大学　工作。

他　在　师大　　教　汉语。

- 兼语句中，前一个动词的宾语是后一个动词的主语。如：

There is a kind of sentence with verbal predicate in which the object of the first verb is at the same time the subject of the following verb, e. g.

S	V	(S)	V	O

他　教　留学生　学习　汉语。

- 在双宾语动词谓语句中，间接宾语在前，直接宾语在后，如：

Some verbs can take two objects, an indirect object（usually referring to a person）and a direct object（usually referring to a thing）, with the former preceding the latter, e. g.

S	V	O	O

他　教　留学生　汉语。

- 时间词作状语可放在主语前或谓语动词前。如：

When an adverbial adjunct denotes the time of an action, it can be put before the subject or verb, e. g.

T	S	T	V	O

现在　我　　　　学习 汉语。

我　今年在北京　留学。

● **选择正确的位置**　Choose a correct position:

1. 他 A 朋友是一位 B 非常 C 有经验 D 老师。

　　　　　　的

2. 王先生 A 北京的 B 一个 C 大学 D 工作。

　　　　　　在

3. 常老师教 A 汉语 B 语法 C 和 D 书法。

　　　　留学生

4. A 我朋友 B 在北京大学 C 留学 D。

　　　　现在

● **选择正确的答案**　Choose a correct answer:

1. 王先生在北师大工作，他教学生学习汉语语法。他是_____。

   A.　老师

   B.　教师

   C.　留学生

   D.　教员

2. 他有八个女学生，七个男学生。他有_____个学生。

   A.　十三

   B.　十二

   C.　十五

   D.　十六

3. 他有三个老师，王老师教他汉语语法，常老师教他汉语教学法，师老师教书法。他学习_____。

   A.　法语

   B.　汉语

   C.　日语

   D.　汉学

1	如	rú	if, as; be as good as			
2	果	guǒ	result, fruit	如果	rúguǒ	if
3	你	nǐ	you			
4	不	bù	not, no			
5	知	zhī	know; knowledge			
6	道	dào	say; road, Taoism	知道	zhīdào	know
7	咱	zán	we or us (including both the speaker and the listener)			
8	们 [們]	men	(suffix for plural number)	咱们	zánmen	we (including the listener)
9	校	xiào	school	学校	xuéxiào	school
10	食	shí	food; eat			
11	堂	táng	a hall for a specific purpose	食堂	shítáng	canteen, mess hall
12	餐	cān	meal			
13	厅 [廳]	tīng	hall	餐厅	cāntīng	dining hall
14	服	fú	clothes; obey, serve			
15	务 [務]	wù	affair; be engaged in	服务	fúwù	serve
16	员 [員]	yuán	a person engaged in some activity	服务员	fúwùyuán	waiter, server
17	叫	jiào	call, shout			
18	什	shén				
19	么 [麽]	me	(suffix)	什么	shénme	what, which
20	名	míng	name, title			
21	字	zì	word, character	名字	míngzi	name
22	就	jiù	then, as soon as, at once, only			
23	可	kě	can, may, approve, but			
24	以	yǐ	use, take; according to	可以	kěyǐ	can, may; passable
25	问 [問]	wèn	ask			
26	小	xiǎo	small			
27	姐	jiě	elder sister	小姐	xiǎojiě	Miss
28	您	nín	you (respectful form)			
29	贵 [貴]	guì	expensive, valuable; your			
30	姓	xìng	surname, family name	您贵姓	Nín guìxìng?	May I ask your surname?

短句 如果你不知道咱们学校食堂和餐厅服务员叫什么名字，就可以问她们：“小姐，您贵姓？”

Rúguǒ nǐ bù zhīdào zánmen xuéxiào shítáng hé cāntīng fúwùyuán jiào shénme míngzi, jiù kěyǐ wèn tāmen: "Xiǎojiě, nín guìxìng?"

繁體 如果你不知道咱們學校食堂和餐廳服務員叫什麽名字，就可以問她們：“小姐，您貴姓？”

组 词		口 语

组 词	
不是	*be not*
不教	*do not teach*
不学	*do not learn*
不学习	*do not study*
不问	*do not ask*
不如	*not as good as*
不工作	*do not work*
我们	*we, us*
你们	*you*
他们	*they*
她们	*they (female)*
老师们	*teachers*
学生们	*students*
朋友们	*friends*
教员	*teacher*
教堂	*church*
道教	*Taoism*
有名	*famous*
知名	*celebrated*
姓名	*full name*
汉字	*Chinese character*
可是	*but*
可贵	*valuable*
学问	*learning*
有学问	*knowledgeable*
问号	*question mark*
小学	*primary school*
小学生	*schoolchild*
小朋友	*children*
大小	*size*
姐姐	*elder sister*
大姐	*eldest sister*

口 语

（一）

◆ 您贵姓?
◇ 我姓王。
◆ 你叫什么名字?
◇ 我叫王京生。"京"是北京的"京"，"生"是出生的"生"。王京生是我的姓名。
◆ 你是不是在北京出生的?
◇ 是的，我是一九六四年八月在北京出生的。

（二）

◆ 小朋友，你姓什么?
◇ 我姓常，是常常的"常"。我叫常贵如。
◆ 这是不是教堂?
◇ 这不是教堂，这是我们学校的食堂。
◆ 你们在学校学习什么?
◇ 我们在学校学习汉语和书法。
◆ 小学生在小学可以不可以学习法语和日语?
◇ 不可以，在大学可以。在大学有的学生学日语，有的学生学法语。我大姐的一个朋友就在北京大学学习日语。教她们的老师非常有学问。
◆ 你姐姐是不是大学生?
◇ 不是，她是餐厅服务员，在北京的一个非常有名的餐厅工作。
◆ 我知道这个餐厅，可是我不知道你姐姐在这个餐厅工作。

如	果	你	不	知	道	咱	们	校	食
堂	餐	厅	服	务	员	叫	什	么	名
字	就	可	以	问	小	姐	您	贵	姓

13

● 用疑问代词的疑问句，其词序跟陈述句一样。如：

A question with an interrogative pronoun has the same word order as that of a declarative sentence, e. g.

你学习什么？

我学习汉语。

● 将谓语中的主要成分（动词或形容词）的肯定形式和否定形式并列起来，就构成了一种疑问句。如：

An affirmative-negative question is another form of question, which is made by juxtaposing the affirmative and negative forms of the main element of the predicate (the predicative verb or adjective), e. g.

S	V	不	V	O ？
这	是	不	是	教堂？
他	姓	不	姓	王？

● 动词、动词结构作定语必须加结构助词"的"。如：

When used attributively, a verb or a verbal construction must take after it the structural particle 的, e. g.

V	O	的	N
教	她们	的	老师
学	汉语	的	学生

● 形容词可以作谓语，这种句子不用动词"是"。如：

When an adjective or such a phrase is used for the predicate, the verb 是 is not used, e. g.

S	adj
北京大学	非常大。
王老师	非常有经验。

● 能愿动词"可以"常放在动词前。如：

The holping verb 可以 is used before verbs, e. g.

S	V	V	O
我们	可以	学习	汉语。

● 小句作动词"知道"的宾语。如：

A sentence is used as the object of the verb 知道, e. g.

S	V	(S	V	O)
我	知道	他	叫	什么名字。

● 选择正确的位置　Choose a correct position：

1. 教 A 他们 B 汉语 C 老师 D 姓王。

　　　　　　　的

2. 他们 A 是 B 学习 C 汉语 D 留学生。

　　　　　　　的

3. 他朋友 A 是 B 在北京 C 出生 D。

　　　　　　　的

4. 如果你不知道他 A 姓什么，B 可以 C 问 D 他。

　　　　　　　就

● 选择正确的答案　Choose a correct answer：

1. 我朋友是餐厅服务员，她在_____工作。

　　A.　教堂

　　B.　大学

　　C.　食堂

　　D.　学校

2. 王_____在小学教学生书法。

　　A.　教员

　　B.　教师

　　C.　老师

　　D.　先生

3. 他_____在北京工作？

　　A.　是

　　B.　不是

　　C.　是不是

　　D.　不是不

1	中	zhōng	*centre, middle*			
2	国 [國]	guó	*country*	中国	Zhōngguó	*China*
3	熟	shú	*ripe, cooked, done, familiar*			
4	悉	xī	*know*	熟悉	shúxi	*know sth. or sb. well,*
5	人	rén	*man, person, people*			*be familiar*
6	见 [見]	jiàn	*see*			
7	面	miàn	*face, flour, side*	见面	jiànmiàn	*meet*
8	打	dǎ	*make, hit*	打招呼	dǎ zhāohu	*say hello, greet*
9	招	zhāo	*beckon, recruit*			
10	呼	hū	*shout, breathe out*	招呼	zhāohu	*call*
11	街	jiē	*street*			
12	上	shàng	*up, higher; mount, go to*	街上	jiēshang	*on the street*
13	遇	yù	*meet*	遇见	yùjiàn	*meet*
14	时 [時]	shí	*time, moment*			
15	候	hòu	*time, season; wait*	时候	shíhou	*moment*
16	怎	zěn	*how*	不怎么	bùzěnme	*not very*
17	爱 [愛]	ài	*like, love*			
18	说 [説]	shuō	*say, speak, talk*			
19	好	hǎo	*good, kind*	你好	nǐ hǎo	*hello*
		hào	*to like*			
20	最	zuì	*most, -est*			
21	喜	xǐ	*be fond of, happy*			
22	欢 [歡]	huān	*merry*	喜欢	xǐhuān	*to like*
23	哪	nǎ	*which*			
24	儿 [兒]	ér	*child, son; (a suffix)*	哪儿	nǎr	*where*
25	去	qù	*go*			
26	啊	a	*(a modal particle)*			
27	吃	chī	*eat*			
28	饭 [飯]	fàn	*meal*			
29	了	le	*(a modal particle, an aspect particle)*			
		liǎo	*finish, settle; (used after a verb) to a finish*			
30	吗 [嗎]	ma	*(a modal particle)*			

短句 中国熟悉的人见面打招呼和在街上遇见的时候不怎么爱说："你好！"最喜欢问："你上哪儿去啊？""吃饭了吗？"

Zhōngguó shúxi de rén jiànmiàn dǎ zhāohu hé zài jiē shang yùjiàn de shíhou bùzěnme ài shuō："Nǐ hǎo！" zuì xǐhuān wèn："Nǐ shàng nǎr qù a？""Chī fàn le ma？"

繁體 中國熟悉的人見面打招呼和在街上遇見的時候不怎麼愛説："你好！"最喜歡問："你上哪兒去啊？""吃飯了嗎？"

16

组　词		口　语
中餐	*Chinese meal*	
中学	*middle school*	
出国	*go abroad*	
法国	*France*	
中年人	40－60岁的人	
老人	*the elderly*	
好人	*good person*	
爱人	*husband or wife*	
熟人	*acquaintance*	
工人	*worker*	
名人	有名的人	
大人	*adult*	
人大	*N. P. C.*	
北面	*the northern side*	
书面语	*written language*	
街道	*street*	
以上	*over, more than*	
小时	*hour*	
有时候	*sometimes*	
时代	*times, epoch*	
小说	*novel*	
怎么	*how, why*	
最大	*biggest*	
最小	*smallest*	
爱好	*like*	
可爱	*lovable*	
好吃	*delicious*	
好学	*be easy to learn*	
去年	*last year*	
这儿	*here*	
问了	*have asked*	
知道了	*known*	

（一）

◆ 小姐，你是哪国人？

◇ 我是法国人。先生，您是法国人吗？

◆ 我不是法国人，我是中国人。

◇ 您是中国哪儿的人？

◆ 我是北京人，我是在北京出生的。

（二）

◆ 你上哪儿去啊？

◇ 我学习去。你吃饭了吗？

◆ 吃了。小王，你是不是这个星期三出国？

◇ 是啊，我去法国留学，现在我去学法语。

◆ 你去哪儿学法语？

◇ 我去一个中学学法语。

（三）

◆ 你喜欢吃什么饭？

◇ 我最喜欢吃中餐。汉语不好学，可是中餐非常好吃。现在法国的中年人和老人爱吃中国饭。

◆ 你爱人喜欢不喜欢吃中国饭？

◇ 有时候，她喜欢吃；有时候，她不怎么喜欢吃。去年在北京的时候，她经常说，学校最大的食堂的饭，有的不怎么熟。星期天她老去北大北面的一个餐厅吃饭。

中	国	熟	悉	人	见	面	打	招	呼
街	上	遇	时	候	怎	爱	说	好	最
喜	欢	哪	儿	去	啊	吃	饭	了	吗

语　法　　　Grammar

● "……的时候"结构作时间状语时，前面常有动词或主谓结构来修饰。如：

"… 的时候" is a common construction denoting time, meaning "when" or "at the time of". It is usually preceded by a verb, a verbal construction or subject-predicate construction, e. g.

| S | （V O 的时候）T | V | O |

中国人见面打招呼的时候不怎么爱说："你好！"

● 在句尾加语气助词"了"表示情况的变化，否定在动词前用"没 méi（有）"，不用"了"，如：

When the modal particle 了 is added at the end of a sentence, it indicates a change in circumstances. The negative form is made by putting 没（有）before the verb and 了 is omitted, e. g.

S（没）V O 了。

他　　吃　饭　了。

他　没　吃　饭。

● 在陈述句句尾加语气助词"吗"，就成了一般疑问句。如：

When the interrogative particle 吗 is added at the end of a declarative sentence, it becomes a question, e. g.

S　V　O　吗？

你　是　法国人　吗？

我　是　法国人。

● 有一种动词谓语句是几个动词共用一个主语。如：

Two or more verbs can share the same subject, e. g.

S　V　O　V　O

我　去　北京大学　学习　法语。

● 副词"最"修饰形容词和某些动词。如：

The adverb 最 can modify an adjective or a verb, e. g.

S　最　V（adj）

我　最喜欢　吃中餐。

中餐　最　好吃。

● 副词"就"肯定客观事实或强调正是如此。如：

The adverb 就 may be used to confirm what has been stated previously or to emphasize a statment, e. g.

学校食堂的饭就不怎么好吃。

● **选择正确的位置**　Choose a correct position:

1. 中国人 A 见面 B 打招呼 C 时候不怎么爱 D 说："你好！"

　　　　　　　的

2. 他们今年九月 A 去 B 学习 C 汉语 D。

　　　　　　中国

3. 在学校 A 的老师和 B 学生们现在去 C 吃饭 D。

　　　　　　食堂

4. 北京大学 A 是 B 中国 C 有名 D 的大学。

　　　　　　最

● **选择正确的答案**　Choose a correct answer:

1. 我问他："你吃饭了吗？"他说："＿＿＿＿。"

　　A.　我吃饭。

　　B.　我没吃饭。

　　C.　我不吃饭。

　　D.　我不吃饭了。

2. 中国熟悉的人在街上遇见的时候爱说什么？

　　A.　你好！

　　B.　你好吗？

　　C.　你上哪儿去啊？

　　D.　好吗？

3. 王先生是一九三二年出生的。他是一位＿＿＿＿。

　　A.　中年人

　　B.　老人

　　C.　女人

　　D.　大人

1	从 [從]	cóng	from, ever			
2	明	míng	bright, clear	明天	míngtiān	tomorrow
3	开 [開]	kāi	open, start			
4	始	shǐ	beginning; begin	开始	kāishǐ	begin
5	每	měi	every	每天	měitiān	every day
6	早	zǎo	morning, long ago	早上	zǎoshang	morning
7	点 [點]	diǎn	o'clock, point, drop	七点	qī diǎn	seven o'clock
8	刻	kè	a quarter; carve	一刻	yí kè	a quarter
9	都	dōu	all			
10	要	yào	want, ask for, need			
11	骑 [騎]	qí	ride (an animal or bicycle)			
12	自	zì	self; from			
13	行	xíng	walk; all right			
14	车 [車]	chē	vehicle	自行车	zìxíngchē	bicycle
15	到	dào	arrive, go to			
16	室	shì	room	教室	jiàoshì	classroom
17	课 [課]	kè	course, class, lesson	上课	shàngkè	go to class
18	练 [練]	liàn	practice			
19	发 [發]	fā	utter, send out			
	[髮]	fà	hair			
20	音	yīn	sound	发音	fāyīn	pronunciation
21	念	niàn	read aloud			
22	文	wén	writing, article	课文	kèwén	text
23	记 [記]	jì	remember, note			
24	单 [單]	dān	single			
25	词 [詞]	cí	word	单词	dāncí	word
26	听 [聽]	tīng	listen			
27	写 [寫]	xiě	write	听写	tīngxiě	dictate; dictation
28	回	huí	return, answer; time			
29	答	dá	reply, answer	回答	huídá	answer
30	题 [題]	tí	problem, subject	问题	wèntí	question, problem

短句 从明天开始，每天早上七点一刻我都要骑自行车到教室上课，练发音、念课文、记单词、听写汉字、回答问题。

Cóng míngtiān kāishǐ, měitiān zǎoshang qī diǎn yí kè wǒ dōu yào qí zìxíngchē dào jiàoshì shàngkè, liàn fāyīn, niàn kèwén, jì dāncí, tīngxiě hànzì, huídá wèntí.

繁體 從明天開始，每天早上七點一刻我都要騎自行車到教室上課，練發音、念課文、記單詞、聽寫漢字、回答問題。

组 词		口 语

组 词	
明年	*next year*
明星	*star*
开车	*drive a car*
开学	*school opens*
打开	*open*
每个月	*every month*
早饭	*breakfast*
一点儿	*a little*
有点儿	*a little, some*
要是	*if, in case*
上车	*get on a bus*
练习	*exercise*
发现	*discover*
汉语课	*class in Chinese*
语文	中小学的汉语课
中文	*Chinese*
法文	*French*
日文	*Japanese*
作文	*composition*
文学	*literature*
听说	*heard of*
听见	*hear*
好听	*pleasant to hear*
打听	*ask about*
语音	*pronunciation*
单位	*unit*
生词	*new word*
名词	*noun*
代词	*pronoun*
回国	*return to homeland*
回去	*go back*
上去	*go up*

口 语

（一）

◆ 小王，你打听打听，他在哪个单位工作？
◇ 好，我今天就去问问他的朋友。
◆ 你们明天开学吗？
◇ 我们明天开学，我去教室上课。
◆ 你们每天都有汉语课吗？
◇ 从星期一到星期五每天都有，星期一有三个小时语音练习，星期二是汉字课，星期四上现代文学，星期五有作文课，星期六不上课。
◆ 你最喜欢上哪个老师的课？
◇ 常老师的课，他从不听写汉字，从不问我问题。
◆ 你们每个人怎么去学校？
◇ 有的人骑车去，有的人开车去。

（二）

◆ 王老师什么时候回国？
◇ 听说，他明天早上八点一刻到北京。
◆ 我发现，王老师每年三月都出国。
◇ 是的，这回去的是法国。他现在有点儿不怎么爱出国了。我听他爱人经常说，他不喜欢吃法国早餐。
◆ 是吗？我最喜欢吃了。明年三月，要是他不去，我去。

从	明	开	始	每	早	点	刻	都	要
骑	自	行	车	到	室	课	练	发	音
念	文	记	单	词	听	写	回	答	题

语　法　Grammar

● 有一种连动句，前一个动词结构表示的是后一个动词的方式，如：

There is a kind of sentence in which the first verb indicates the manner of the action expressed by the second verb, e. g.

> **S V O V O**
>
> 我 骑自行车 到 教室上课。
>
> 我 开 车 去大学。

● 表示动作的动词可以重叠，重叠后常表示"动作经历的时间短促"或"轻松"、"随意"。如：

Verb denoting action can be repeated. This device is usually employed when one wishes to indicate that the action is of a very short duration, to soften the tone of a sentence or to make it sound relaxed or informal, e. g.

> **S　V V**
>
> 你 打听打听。
>
> 我 问 问 他的朋友。

● 介词"从""到"的宾语一般是表示时间或地点的词语。如：

The objects of the prepositions 从 and 到 are usually words or phrases denoting place or time, e. g.

> **从 N 到 N**
>
> 从 八点 到 十点
>
> 从 教室 到 食堂

● 小句作动词"听说"和"发现"的宾语。如：

A sentence is used as the object of the verb 听说 and 发现, e. g.

> **S V (S V O)**
>
> 我 听说 他明天到北京
>
> 我 发现 他每年三月都出国。

● 下面的句子中"他去的"是"他去的地方"的意思。这种由动词组成的"的"字结构是一种名词结构。

In the sentence below, 他去的 means the same as 他去的地方. 的-constructions of this kind, composed of a subject and a verb plus 的, are nominal constructions.

> **(S V 的) V O**
>
> 他 去 的(地方)是 法国。
>
> 我 吃 的(饭) 是 中国饭。

● 选择正确的位置　Choose a correct position:

1. 我 A 每天早上 B 去大学 C 上课 D。

   骑车

2. 今天 A 他们上 B 是语法 C 课 D。

   的

3. 我 A 朋友 B 开 C 车 D 是中国的。

   的

4. 我 A 北京人 B 非常 C 喜欢 D 骑自行车。

   发现

● 选择正确的答案　Choose a correct answer:

1. 今天星期一，他们明天开学。他们从什么时候开始上课？

   A.　从星期三

   B.　从星期二

   C.　从今天

   D.　从九点

2. 我的老师说："日本饭不怎么好吃。"他喜欢吃日本饭吗？

   A.　喜欢

   B.　有点儿喜欢

   C.　不喜欢

   D.　非常喜欢

3. ＿＿＿＿你不爱吃法国饭，你可以吃中国饭。

   A.　发现

   B.　要是

   C.　如果

   D.　打听

【识 字 六】

1	后[後]	hòu	behind, after	后天	hòutiān	day after tomorrow
2	下	xià	below, down, next			
3	午	wǔ	noon	下午	xiàwǔ	afternoon
4	差	chà	differ from; short of, bad, poor			
5	分	fēn	minute; divide; (a measure word)			
6	钟[鐘]	zhōng	clock, bell	分钟	fēnzhōng	minute
7	也	yě	too, also			
8	准[準]	zhǔn	allow, grant; certainly			
9	备[備]	bèi	prepare	准备	zhǔnbèi	intend, prepare
10	再	zài	again, once more			
11	跟	gēn	with; follow			
12	班	bān	class	班上	bānshang	in the class
13	几[幾]	jǐ	a few; how many			
14	同	tóng	together; same	同学	tóngxué	classmate
15	起	qǐ	start, rise	一起	yìqǐ	together
16	坐	zuò	sit			
17	租	zū	rent	出租	chūzū	hire out; taxi
18	汽	qì	vapour, steam	汽车	qìchē	automobile
19	地	dì	land, soil, fields			
		de	(a structural particle)	好好地	hǎohāo de	all out, well
20	铁[鐵]	tiě	iron	地铁	dìtiě	subway, metro
21	新	xīn	new			
22	世	shì	world			
23	界	jiè	boundary	世界	shìjiè	world
24	商	shāng	commerce; discuss			
25	店	diàn	shop, store	商店	shāngdiàn	shop
26	买[買]	mǎi	buy			
27	些	xiē	some			
28	活	huó	live; movable, quick	生活	shēnghuó	life; live
29	用	yòng	use			
30	品	pǐn	article	用品	yòngpǐn	articles for use

短
句
后天下午差五分钟四点，她也准备再跟班上的几个同学一起坐出租汽车和地铁去"新世界"商店买些生活用品。

Hòutiān xiàwǔ chà wǔ fēnzhōng sì diǎn, tā yě zhǔnbèi zài gēn bānshang de jǐ gè tóngxué yìqǐ zuò chūzūqìchē hé dìtiě qù "Xīnshìjiè" shāngdiàn mǎi xiē shēnghuó yòngpǐn.

繁
體
後天下午差五分鐘四點，她也準備再跟班上的幾個同學一起坐出租汽車和地鐵去"新世界"商店買些生活用品。

24

组　词		口　语

后年	the year after next	
后面	at the back, behind	
以后	after	
今后	from now on	
最后	final; lastly	
下课	finish class	
下车	get out of a car	
下去	go down	
下星期	next week	
一下	once	
上午	forenoon	
中午	noon	
午饭	lunch	
点钟	o'clock	
一刻钟	a quarter	
准时	on time	
同时	at the same time	
备课	prepare lessons	
再见	good-bye	
几分钟	a few minutes	
起名字	give a name	
吃不起	can't afford to eat	
新年	New Year	
去世	die, pass away	
商人	businessman	
经商	engage in trade	
商品	commodity	
日用品	daily articles	
用法	usage	
饭店	hotel	
书店	bookshop	
一些	some, certain	

口　语

(一)

◆ 今天几月几号？

◇ 今天十二月二十五号。

◆ 明天星期几？

◇ 明天星期四。

◆ 现在几点了？

◇ 现在差一刻十一点。

◆ 你们每天上午什么时候下课？

◇ 我们中午十二点准时下课，一点钟吃午饭。

(二)

◆ 明天是新年，你准备跟你男朋友去哪儿？

◇ 我们准备先去学校后面的书店买些新书，再去
商店买一些日用品，最后，去北京饭店吃饭。

◆ 听说，有个法国商人在学校后面新开了一个大
商店，叫"新时代"商店，你知道吗？

◇ 我听说了。这几年，他们在中国开了十几个大
商店。

◆ 明天你们准备怎么去北京饭店？

◇ 我们先坐地铁，再坐汽车，在北京饭店下车。

◆ 从这儿到北京饭店要用几个小时？

◇ 要用一个小时二十分钟。下星期一见！

◆ 再见！

后	下	午	差	分	钟	也	准	备	再
跟	班	几	同	起	坐	租	汽	地	铁
新	世	界	商	店	买	些	活	用	品

25

● 钟点的表达。如：

Ways of telling the time (hour), e. g.

8: 05　八点五分　　8: 30　八点半　　8: 45　差一刻九点

8: 15　八点一刻　　8: 40　八点四十　　8: 55　差五分九点

● 持续时间的表达。如：

Ways of telling the duration of time , e. g.

五分钟　　一刻钟　　一个小时

一天　　一个星期　一个月　　一年

● 要说明一个动作或一种状态持续多长时间，就在动词后用时量补语。如：

A complement of duration placed after a verb shows the duration of an action or a state, e. g.

S	V	T

坐汽车要　用　一个小时。

他　　　　说了十分钟。

● 动词如果带宾语，一般要重复动词将时量补语放在动词之后。如：

A verb can be repeated following its object. The repeated verb is followed by a complement of duration, e. g.

S	V	O	V	T

我　坐　汽车　坐了　一天。

● 介词"跟"和它的宾语组成的介词结构放在动词前作状语。如：

The prepositional construction 跟… and its object are often used in front of a verb as an adverbial adjunct, e. g.

S	P	O	adv	V	O

我　跟　我的朋友　一起　去　商店。

他　跟　我　　　　　说："我现在去上课。"

● "几"可以作为疑问代词用来提问十以内的数目，另一个用法是表示十以内不确定的数目。如：

几 is used to ask about a number smaller than ten. 几 can be also used to indicate an unspecified number, e. g.

今天星期几?

这几年，他们在中国新开了几个大商店。

● **选择正确的位置**　Choose a correct position:

1. 我 A 今天下午 B 去书店 C 买一些书 D。

　　　　　　跟我朋友

2. 他 A 上课的时候 B 说 C："我可以 D 回答这个问题。"

　　　　　　跟老师

3. A 今天 B 我和同学们 C 坐了一个小时 D。

　　　　　　坐汽车

4. 有个 A 人在 B 大学北面 C 开了一个大 D 商店。

　　　　　　新

● **选择正确的答案**　Choose a correct answer:

1. 今天星期六，明天星期几？

　　A.　星期五

　　B.　星期七

　　C.　星期日

　　D.　星期天

2. 他早上八点坐汽车去学校，是九点一刻到的。他用了＿＿＿＿＿。

　　A.　一个小时

　　B.　四十五分钟

　　C.　七十五分钟

　　D.　一刻钟

3. 三点四十五分，也可以说＿＿＿＿＿。

　　A.　差一刻四点

　　B.　差十五分钟四点

　　C.　四点差十五分钟

　　D.　三点三刻

1	半		bàn	half			
2	公		gōng	metric, public, male			
3	斤		jīn	(a Chinese unit of weight: 0.5 kg)	公斤	gōngjīn	kilogramme
4	水		shuǐ	water	水果	shuǐguǒ	fruit
5	双	[雙]	shuāng	pair, double			
6	皮		pí	skin, leather			
7	鞋		xié	shoes	皮鞋	píxié	leather shoes
8	两	[兩]	liǎng	two			
9	支		zhī	(a measure word); prop up			
10	钢	[鋼]	gāng	steel			
11	笔	[筆]	bǐ	pen	钢笔	gāngbǐ	pen
12	本		běn	(a measure word); book, origin			
13	杂	[雜]	zá	mixed			
14	志		zhì	records	杂志	zázhì	magazine
15	条	[條]	tiáo	(a measure word); strip			
16	棉		mián	cotton			
17	毛		máo	wool, (a unit of money: 0.1 yuan)	毛裤	máokù	long woolen pants
18	裤	[褲]	kù	trousers	棉毛裤	miánmáokù	cotton (interlock) trousers
19	件		jiàn	(a measure word)			
20	运	[運]	yùn	motion; transport			
21	动	[動]	dòng	move, act	运动	yùndòng	sports
22	衣		yī	clothes	运动衣	yùndòngyī	sportswear
23	张	[張]	zhāng	(a measure word); to open			
24	导	[導]	dǎo	lead, guide			
25	游		yóu	swim, travel	导游	dǎoyóu	guide
26	图	[圖]	tú	map, picture	导游图	dǎoyóutú	tourist map
27	共		gòng	altogether, common			
28	千		qiān	thousand			
29	百		bǎi	hundred			
30	块	[塊]	kuài	(the basic unit of money = yuan), piece			

短句 半公斤水果、一双皮鞋、两支钢笔，三本杂志、四条棉毛裤、五件运动衣、六张导游图，共一千三百块。

Bàn gōngjīn shuǐguǒ, yì shuāng píxié, liǎng zhī gāngbǐ, sān běn zázhì, sì tiáo miánmáokù, wǔ jiàn yùndòngyī, liù zhāng dǎoyóutú, gòng yìqiān sānbǎi kuài.

繁體 半公斤水果、一雙皮鞋、两支鋼笔，三本雜志、四條棉毛褲、五件運動衣、六張導游圖，共一千三百塊。

组词		口语

组词

半天	half a day, a long time
半年	half a year
三点半	three thirty
半个小时	half an hour
公共汽车	bus
公务员	civil servant
公分	centimetre
汽水	soda water
开水	boiled water
鞋店	shoe store
两点	two o'clock
两年	two years
两个月	two months
毛笔	writing brush
笔记本	notebook
笔名	pen name
日本	Japan
杂文	essay
同志	comrade
面条	noodles
条件	condition
衣服	clothing
毛衣	wool clothing
上衣	upper outer garment
大衣	overcoat
运动员	sportsman
活动	activity
动词	verb
地图	map
共同	common
一共	in all, total
一块儿	together

口语

（一）

◆ 这是什么？
◇ 这是世界地图。
◆ 这张北京地图是你的吗？
◇ 是我的，这本汉语书和这个笔记本也是我的。这些衣服和汽水，吃的、用的都是我们今天下午一块儿坐公共汽车去商店买的。

（二）

◆ 同志，您买点儿什么？
◇ 我买一斤面条。小姐，有水果吗？
◆ 有，这些都是水果，您买几斤？
◇ 这个要两斤，这个要半斤，这个要一斤半。

（三）

◆ 小姐，我问一下，这是什么笔？
◇ 这是毛笔。练习书法的时候，要用毛笔。
◆ 中国人写字的时候都用毛笔吗？
◇ 不都用。小学生有书法课，上书法课时要用毛笔，语文课上写字可以用钢笔。有的老人常常用毛笔写字。日本人也用毛笔写字，我的一个日本朋友写的毛笔字也非常好。

半	公	斤	水	双	皮	鞋	两	支	钢
笔	本	杂	志	条	棉	毛	裤	件	运
动	衣	张	导	游	图	共	千	百	块

语　法　Grammar

● 数词不能单独作名词的定语，中间必须加量词。如：

A numeral alone cannot function as an attributive but must be combined with a measure word inserted between the numeral and the noun it modifies, e. g.

这是一个本子。

我买一本书。

● 名词都有特定的量词，不能随便组合。"个"是用得最广的量词，可以用于指人、物、处所等名词前。如：

Every noun as a rule has its own specific measure word. Of all the measure words 个 is the most often used. It can be placed before a noun denoting a person, thing or place, e. g.

个	一个人	三个学生	四个本子	五个商店
位	一位老师	三位先生	四位小姐	
本	一本书	三本杂志		
张	一张导游图	三张地图		
件	一件运动衣	三件衣服	四件毛衣	五件大衣
双	一双鞋	三双皮鞋	四双运动鞋	
条	一条棉毛裤	三条毛裤		
支	一支钢笔	三支毛笔		
斤	一斤水果	三斤面条		
公斤	一公斤水果			

● "二"和"两"都表示"2"这个数目，在量词前一般用"两"不用"二"。如：

Both 二 and 两 mean two. Before a measure word, 两 is normally used instead of 二, e. g.

两个朋友　　两个人　　两本汉语书

● "些"表示不定数量的量词，常和"这""哪"等连用，修饰名词。如：

些 is a measure word showing an indefinite quantity and is usually used after 这 or 哪 to modify nouns, e. g.

一些人　　这些人　　哪些人

一些书　　这些书　　哪些书

一些商店　　这些商店　　哪些商店

● "半"的用法举例：

Usage of 半, for example:

八点半　　半个小时（30分钟）　　一个半小时（90分钟）

半年　　一年半　　（18个月）

半个月　　一个半月（45天）

半天　　一天半

半斤　　一斤半

30

● **选择正确的位置**　Choose a correct position:

1. 这些吃 A 用 B 是 C 我 D 今天下午去商店买的。

　　　　　　　的

2. 这 A 本子是我在一 B 小 C 商店 D 买的。

　　　　　　　个

3. 我 A 想 B 跟我的同学 C 去餐厅吃饭 D。

　　　　　一块儿

4. 你打听 A，去 B 北京饭店 C 在哪儿下 D 车。

　　　　　一下

● **选择正确的答案**　Choose a correct answer:

1. 你买什么？我买一_____书。

　　A. 个

　　B. 张

　　C. 本

　　D. 支

2. 今天下午我在商店买了一条_____。

　　A. 大衣

　　B. 毛裤

　　C. 上衣

　　D. 皮鞋

3. 他早上八点坐车去学校，上午十点半到。他用了_____小时。

　　A. 二个小时半

　　B. 二个半小时

　　C. 两个小时半

　　D. 两个半小时

1	昨	zuó	yesterday			
2	晚	wǎn	evening, night; late			
3	俩 [倆]	liǎ	two persons			
4	又	yòu	again	又……又	yòu...yòu	both... and...
5	饿 [餓]	è	hungry			
6	渴	kě	thirsty			
7	份	fèn	(a measure word)			
8	鱼 [魚]	yú	fish			
9	香	xiāng	fragrant, appetizing	鱼香	yúxiāng	"fish-smelling", hot
10	肉	ròu	meat			
11	丝 [絲]	sī	silk, a thread-like object	肉丝	ròusī	shredded meat
12	盘 [盤]	pán	plate; (a measure word)			
13	素	sù	plain; vegetable, element			
14	炒	chǎo	stir-fry			
15	空	kōng	empty, hollow			
		kòng	leave empty or blank	空儿	kòngr	free time
16	心	xīn	heart, centre			
17	菜	cài	vegetable, course, dish	空心菜	kōngxīncài	water spinach
18	冷	lěng	cold	冷盘儿	lěngpánr	cold dish, hors d'oeuvres
19	碗	wǎn	bowl; (a measure word)			
20	米	mǐ	rice, metre	米饭	mǐfàn	(cooked) rice
21	喝	hē	drink			
22	杯	bēi	cup; (a measure word)			
23	热 [熱]	rè	hot, heat			
24	茶	chá	tea			
25	瓶	píng	bottle, vase, jar			
26	啤	pí				
27	酒	jiǔ	alcoholic drink, wine	啤酒	píjiǔ	beer
28	花	huā	flower; spend			
29	少	shǎo	few, little; lack			
30	钱 [錢]	qián	money, cash			

短
句

昨晚我们俩又饿又渴，要了份鱼香肉丝、一盘素炒空心菜、一个冷盘儿、两碗米饭，喝了两杯热茶、五瓶啤酒，花了不少钱。

Zuówǎn wǒmenliǎ yòu è yòu kě, yàole fèn yúxiāngròusī, yì pán sù chǎo kōngxīncài, yí gè lěngpánr, liǎng wǎn mǐfàn, hēle liǎng bēi rèchá, wǔ píng píjiǔ, huāle bùshǎo qián.

繁
體

昨晚我們倆又餓又渴，要了份魚香肉絲、一盤素炒空心菜、一個冷盤兒、兩碗米飯，喝了兩杯熱茶、五瓶啤酒，花了不少錢。

组 词	
昨天	yesterday
晚上	night
晚饭	dinner
晚年	old age
月份	month
鱼肉	the flesh of fish
香水	perfume
有空儿	have time
素菜	vegetable dish
炒菜	fried dish
点菜	order dishes
菜店	vegetable shop
菜单	menu
中国菜	Chinese meal
法国菜	French meal
下酒菜	喝酒吃的菜
中心	centre
心中	in the heart
饭碗	bowl
大米	rice
好喝	nice to drink
茶杯	tea cup
酒杯	wine cup
酒瓶	wine bottle
酒店	large restaurant
花儿	flower
花店	flower shop
花瓶	flower vase
花茶	scented tea
花钱	spend
一块钱	one yuan
两毛钱	two mao

口 语

(一)

◆ 二位吃点儿什么？这是菜单。

◇ 有什么好吃的炒菜？

◆ 炒菜有不少，这些都是炒菜。

◇ 这两个菜用中文怎么说？

◆ 这个叫"鱼香肉丝"，这个叫"肉炒菜心儿"。

◇ 我们要份儿鱼香肉丝，一个肉炒菜心儿，一个素菜，两盘儿下酒菜。

◆ 米饭要吗？

◇ 我们不怎么饿，要两小碗米饭。

◆ 二位喝点儿什么？

◇ 你们这儿有什么好酒？

◆ 有不少中国的名酒和法国酒。

◇ 我们非常渴，要三瓶啤酒。要是法国酒不怎么贵，我们每人再要一杯法国酒。

(二)

◆ 今天晚上你有空儿吗？

◇ 我有空儿。

◆ 今天是我朋友的生日，咱们一起去北京饭店吃法国大菜，好吗？

◇ 好是好，可是，法国菜有点儿贵，我吃不起啊！

◆ 法国菜有的贵，有的也不怎么贵。今天我点菜，不用你花钱。

◇ 这行，我去买瓶法国香水，再去花店买些花儿。

昨	晚	俩	又	饿	渴	份	鱼	香	肉
丝	盘	素	炒	空	心	菜	冷	碗	米
喝	杯	热	茶	瓶	啤	酒	花	少	钱

● "有点儿" 常用在某些形容词和动词前，而 "一点儿" 常用在某些形容词和动词之后。如：

有点儿, meaning "a bit", is often used adverbially before certain adjectives and verbs to indicate a slight degree of something. 一点儿 is often used after certain adjectives and verbs, e. g.

有点儿 adj (V)	adj (V) 一点儿
法国菜 有点儿贵。	法国菜　贵　　一点儿。
我　　有点儿喜欢他。	我喜欢　喝　　一点儿啤酒。

● 动态助词 "了" 在动词后表示这个动作已经实现。如：

As an aspect particle, 了 comes after a verb, indicating that the action expressed by the verb has already been done, e. g.

S V 了　　　O
我 要 了份鱼香肉丝。
我 买了 一斤水果。

● "又……又……" 的用法举例：

Examples of the usage of 又…又…:

又 adj (V)　又 adj (V)
又 饿　　　又 渴。
又 贵　　　又 不好。

● "……得起" 是一个可能补语，否定形式是 "……不起"。如：

…得起 is a potential complement. It is formed with the structural particle 得 inserted between a verb and 起. The negative is formed by replacing 得 with 不, e. g.

V 得 (不) V	
法国菜，你吃得　　起吃不起?	自行车，你买得起买不起?
我吃　　不 起。	自行车，我买得起。

● 量词 "杯" "碗" "瓶" "盘" "份" 的用法举例：

Usage of the measure words, 杯, 碗, 瓶, 盘 and 份, e. g.

杯	一杯茶	一杯啤酒
碗	一碗米饭	一碗水
瓶	一瓶啤酒	一瓶香水
盘	一盘炒菜	一盘鱼香肉丝
份	一份鱼	一份热菜

● 选择正确的位置　Choose a correct position:

1. A 我朋友 B 说"这个花瓶 C 贵 D。"

有点儿

2. 饭店 A 服务员问我 B:"您想买 C 什么 D?"

一点儿

3. 昨天他在商店 A 买 B 不少 C 鱼和肉 D。

了

4. 喝了两瓶啤酒,A 我们每人 B 要 C 了一杯 D。

又

● 选择正确的答案　Choose a correct answer:

1. 买大衣的人说："我买不起啊！"这个人_____。

    A. 有不少钱

    B. 不喜欢这件衣服

    C. 不想买

    D. 的钱少

2. 我跟服务员说："我_____要一个冷盘儿。"

    A. 又

    B. 再

    C. 就

    D. 也

3. 昨天吃饭的时候，我要了一_____肉丝炒面。

    A. 碗

    B. 杯

    C. 份

    D. 盘

1	林	lín	forest, (a surname)			
2	叔	shū	uncle	叔叔	shūshu	uncle, (a child's form of address for any
3	家	jiā	family, home, specialist			young man one generation its senior)
4	口	kǒu	mouth	人口	rénkǒu	population
5	真	zhēn	real, true; really			
6	多	duō	many, much			
7	爸	bà	dad, father	爸爸	bàba	dad
8	妈 [媽]	mā	mum, mother	妈妈	māma	mum
9	哥	gē	elder brother	哥哥	gēge	elder brother
10	嫂	sǎo	elder brother's wife			
11	子	zǐ	child, (suffix)	嫂子	sǎozi	elder brother's wife
12	弟	dì	younger brother	弟弟	dìdi	younger brother
13	妹	mèi	younger sister	妹妹	mèimei	younger sister
14	另	lìng	other, another			
15	外	wài	outside	另外	lìngwài	besides, moreover
16	祖	zǔ	ancestor, grandfather			
17	父	fù	father			
18	母	mǔ	mother	祖父母	zǔfùmǔ	grandfather and grandmother
19	呢	ne	(a modal particle)			
20	前	qián	forward, before	以前	yǐqián	before, formerly
21	军 [軍]	jūn	army			
22	队 [隊]	duì	team	军队	jūnduì	armed forces, troops
23	干 [幹]	gàn	do			
	[乾]	gān	dry, empty	干杯	gānbēi	drink a toast
24	部	bù	part, unit, ministry	干部	gànbù	cadre
25	已	yǐ	already	已经	yǐjīng	already
26	退	tuì	retreat, return			
27	休	xiū	rest, stop, cease	退休	tuìxiū	retire
28	很	hěn	very			
29	长 [長]	cháng	long; length			
		zhǎng	chief; grow; older	部长	bùzhǎng	minister
30	间 [間]	jiān	time or space	时间	shíjiān	time

短句 林叔叔家人口真多，有爸爸、妈妈、哥哥、嫂子、弟弟和妹妹。另外，他祖父母呢，以前是军队干部，已经退休很长时间了。

Lín shūshu jiā rénkǒu zhēn duō, yǒu bàba, māma, gēge, sǎozi, dìdi hé mèimei. Lìngwài, tā zǔfùmǔ ne, yǐqián shì jūnduì gànbu, yǐjīng tuìxiū hěn cháng shíjiān le.

繁體 林叔叔家，人口真多，有爸爸、媽媽、哥哥、嫂子、弟弟和妹妹。另外，他祖父母呢，以前是軍隊幹部，已經退休很長時間了。

组 词		口 语

组 词	
国家	country
作家	writer
文学家	man of letters
大家	everybody
家务	household duties
口语	spoken language
口音	voice, accent
多少	how many (much)
多么	how
多长时间	how long
差不多	nearly, similar
儿子	son
本子	notebook
裤子	trousers, pants
杯子	cup, glass
瓶子	bottle
盘子	tray, plate
个子	height, size
单子	form, list
国外	abroad
外国	foreign country
外语（文）	foreign language
外面	outside
外号	nickname
祖国	one's country
祖父	grandfather
祖母	grandmother
前天	day before yesterday
前年	the year before last
部分	[bùfen] part
中间	among; middle
期间	time, period

口 语

（一）

◆ 小姐，杂志多少钱一本？

◇ 十二块五一本。

◆ 这张北京导游图多少钱？

◇ 导游图五毛钱一张。

◆ 我买两个本子、三个盘子、一个花瓶、一支钢笔、半斤花茶、两条裤子，一共多少钱？

◇ 一共二百四十七块六毛。

（二）

◆ 小张，你在家干什么呢？

◇ 我念十一课的课文呢，你呢？

◆ 我写汉字呢。你父母在家吗？

◇ 他们都在家。我妈妈在喝茶，我爸爸备课呢。

◆ 听说，你哥哥去国外留学了，是真的吗？他去的是哪个国家？

◇ 是真的，他去的是日本。

◆ 他去日本多长时间了？

◇ 他是前年去的，到现在差不多一年半了。

◆ 你法语学了几个月了？

◇ 我已经学了五个多月了，可是口语很差。

◆ 学习外语要多听，多说，多写，多练习。

◇ 不用你说，大家都知道，可是我就是说不好。

林	叔	家	口	真	多	爸	妈	哥	嫂
子	弟	妹	另	外	祖	父	母	呢	前
军	队	干	部	已	退	休	很	长	间

语　法　Grammar

● 语气助词"呢"的一个用法是表示疑问语气，常用在代词和名词后。如：

The modal particle 呢 is used after a noun or pronoun to indicate an alternative interrogation, e. g.

> 我骑自行车去，你呢？
>
> 你爸爸是老师，你妈妈呢？

● 语气助词"呢"的一个用法是表示停顿。如：

The modal particle 呢 can also be used to mark a pause, e. g.

> 他祖父母呢，已经退休了。
>
> 我爱人喜欢喝茶。我呢，喜欢喝啤酒。

● 要表示动作处在进行的阶段，可在动词前加副词"在"或在句尾加语气助词"呢"。如：

To show that an action is in progress, either place the adverb 在 before the verb or put 呢 at the end of the sentence. 在 is very often used together with 呢 to express the progressive aspect, e. g.

S	在	V	O	呢

> 我妈妈 在 喝 茶。
>
> 我爸爸　　备 课 呢。
>
> 　我 在 写 汉字 呢。

● 副词"多"常放在单音节形容词"长""大"等前边，用来询问程度。如：

The adverb 多 often goes before monosyllabic adjectives such as 长, 大 to ask about degree or extent, e. g.

> 多长时间　　他去日本多长时间了？
>
> 　　　　　他去日本一年半了。
>
> 多大　　　你多大了？
>
> 　　　　　我二十岁了。

● 用"多"也能表示概数。"多"不能单用，要放在整数之后表示零头。代表个位数后的零头时，放在量词和名词之间，或带量词性的名词之后。如：

多 as an approximate indicator of number cannot stand alone, but must be used after an integer to show the remainder of the figure. 多 may be used between a measure word and a noun, or after a noun which functions as a measure word, to express the remainder of a round figure, e. g.

> 十多个人　　一个多月　　(over one month)
>
> 二十多本书　一个多小时　(a little over an hour)
>
> 一百多年　　一年多　　　(over one year)
>
> 　　　　　　一天多　　　(a little more than one day)

● 选择正确的位置　Choose a correct position:

1. 你 A 妈妈 B 不喜欢喝花茶 C，教你的老师 D？

　　　　　　　　呢

2. 我 A 写汉字 B，C 我父母 D 作饭呢。

　　　　　　在

3. 他汉语已经 A 学了 B 一个 C 月 D 了。

　　　　　　　多

4. 昨天 A 我 B 花了 C 四百多块钱 D。

　　　　　差不多

● 选择正确的答案　Choose a correct answer:

1. 他从去年九月到今年二月在北京学习汉语，一共学了_____个月。

　　A.　十

　　B.　十一

　　C.　五

　　D.　六

2. 我想今年八月去中国，明年六月回国。我想在中国多长时间？

　　A.　十四个月

　　B.　十个月

　　C.　九个月

　　D.　十二个月

3. 三斤花茶三百六十九块，一斤花茶多少钱？

　　A.　一百三十三块

　　B.　一百二十三块

　　C.　一百四十二块

　　D.　一百三十二块

1	孩	hái	*child*		孩子	háizi	*child*
2	挺	tǐng	*very; straight; erect*				
3	抱	bào	*hug, cherish*				
4	负 [負]	fù	*bear, rely on*		有抱负	yǒu bàofu	*have high aspirations*
5	属 [屬]	shǔ	*be born in the year of, belong to*				
6	羊	yáng	*sheep*				
7	还 [還]	hái	*still, fairly, also*				
		huán	*give back*				
8	没	méi	*not, not have*				
9	毕 [畢]	bì	*finish, accomplish*				
10	业 [業]	yè	*course of study, trade*		毕业	bìyè	*graduate*
11	数 [數]	shù	*mathematics, number*				
12	理	lǐ	*physics, reason*				
13	化	huà	*chemistry; change, turn*				
14	考	kǎo	*take an examination; test*				
15	试 [試]	shì	*try, test*		考试	kǎoshì	*examination, test*
16	各	gè	*every, each*				
17	门 [門]	mén	*(a measure word); door*				
18	功	gōng	*merit, result, work*		功课	gōngkè	*schoolwork*
19	成	chéng	*become; result*				
20	绩 [績]	jì	*achievement, merit*		成绩	chéngjì	*result, achievement*
21	错 [錯]	cuò	*fault; wrong*		不错	búcuò	*correct, right*
22	将 [將]	jiāng	*will, take, be about to*				
23	来 [來]	lái	*come*		将来	jiānglái	*future*
24	想	xiǎng	*want to, think*				
25	搞	gǎo	*do, get*				
26	然	rán	*so, right*		自然	zìrán	*nature*
27	科	kē	*a branch of academic study*		科学	kēxué	*science*
28	当 [當]	dāng	*be; just at*				
29	研	yán	*grind, study*		研究	yánjiū	*research*
30	究	jiū	*investigate*		研究员	yánjiūyuán	*research fellow*

短句 这孩子挺有抱负，属羊，大学还没毕业，数理化考试各门功课成绩都不错，将来想搞自然科学，当研究员。

Zhè háizi tǐng yǒu bàofu, shǔ yáng, dàxué hái méi bìyè, shù lǐ huà kǎoshì gè mén gōngkè chéng jì dōu búcuò, jiānglái xiǎng gǎo zìrán kēxué, dāng yánjiūyuán.

繁體 這孩子挺有抱負，屬羊，大學還沒畢業，數理化考試各門功課成績都不錯，將來想搞自然科學，當研究員。

40

组　词		口　语
小孩儿	child	◆ 昨天你去书店了没有？
男孩儿	boy	◇ 我没去书店，我去理发了。
还是	or, still	◆ 我也去理发了，我在理发店门口怎么没见到你
还可以	not bad	啊！你是上午去的还是下午去的？
工业	industry	◇ 我从来不在上午理发，我是下午去的。
商业	commerce	◆ 听说，你孩子大学要毕业了，是吗？
林业	forestry	◇ 是的，他今年七月份就毕业。
作业	homework	◆ 你孩子学文科还是理科？
专业	speciality	◇ 他学理科，他数学和化学的成绩不错，考试都
岁数	age	在九十分以上。他不喜欢上文化课。
数学	mathematics	◆ 他怎么不喜欢学文科呢？
化学	chemistry	◇ 他不喜欢作文，外语口试和笔试的成绩不好。
文化	culture	◆ 大学本科毕业以后，他想考研究生吗？
口试	oral test	◇ 当然想了，大学一毕业就考上研究生，这是最
笔试	written test	理想的了。现在岁数不大，以后岁数大了，再
门口	entrance	想考也考不了了。
部门	department	◆ 将来他想干什么工作？
想念	miss	◇ 他想先在商业部门工作几年，然后去大学当老
理想	ideal	师。他常跟我说，当老师好是好，就是钱少。
道理	reason	◆ 他想不想出国留学？
经理	manager	◇ 现在哪个男孩儿不想出国留学啊！
理发	haircut	◆ 他想到国外去学什么专业？
理科	science	◇ 他开始跟我说，他想去学数学，后来又说，想
文科	liberal arts	去国外学习商业，还说，将来想当经理。
外科	surgery	
本科生	undergraduate	
上来	come up	
从来	at all times	
后来	afterwards	
然后	then, after that	
当然	of course	
研究生	graduate student	

孩	挺	抱	负	属	羊	还	没	毕	业
数	理	化	考	试	各	门	功	成	绩
错	将	来	想	搞	然	科	当	研	究

语　法　Grammar

● 有一种疑问句是用连词"还是"连接两种可能的答案，由回答的人选择其一。如：
An alternative question is one formed of two statements joined by 还是 suggesting two alternatives for the person addressed to choose from, e. g.

你孩子喜欢学文科还是理科？

你是上午去的还是下午去的？

● "一……就……"表示两个紧接着的动作。如：
一…就… is used to connect two actions that follow closely one another, e. g.

S — V O 就 V O

我 一 下 课 就 回 家。

他 一 毕 业 就 考上研究生，这是最理想的了。

● 要……了"表示动作很快就要发生。如：
要…了 indicates that an action will soon take place, e. g.

S 要 V O 了

我孩子大学 要 毕 业 了。

● 动词"了(liǎo)"常用作可能补语，表示有可能进行某种动作。如：
The verb 了 (liǎo) is often used as a potential complement indicating the possibility of an action, e. g.

考得(不)了　　他今年考得了考不了大学？

来得(不)了　　明天我们不上课，我来得了。

吃得(不)了　　我吃不了三碗米饭。

● 语气助词"呢"可以放在一个特殊疑问句句尾。如：
The modal particle 呢 can be used at the end of a question with an interrogative pronoun, e. g.

她去哪儿了呢？

他怎么不喜欢学文科呢？

● 用疑问代词的反问句，句尾可以加语气助词"啊"或"呢"。如：
The modal particle 啊 or 呢 can be used at the end of a rhetorical question, e. g.

现在哪个男孩儿不想出国留学啊！　　（男孩儿都想出国留学。）

我不说，你怎么能知道呢？　　　　（你不能知道。）

● "……是……，就是……"用于让步从句中。如：
The construction…是…，就是… is used in a clause of concession, e. g.

当老师好是好，就是钱少。

想去是想去，就是去不了。

● **选择正确的位置**　Choose a correct position：

1. 你喜欢 A 喝 B 花茶 C 喜欢喝 D 啤酒？

　　　　　　　　还是

2. A 今天中午 B 我 C 下 D 课就骑车回家。

　　　　　　　一

3. 这张北京地图好 A 是好，B 是 C 有点儿 D 大。

　　　　　　　就

4. 我 A 父母的岁数 B 都 C 很大了，D 退休了。

　　　　　　　要

● **选择正确的答案**　Choose a correct answer：

1. 他说："谁不喜欢吃中国饭啊！"他 _____ 中国饭。

　　A.　不喜欢吃

　　B.　喜欢吃

　　C.　很不喜欢吃

　　D.　有点儿不喜欢

2. 他说："哪个孩子不喜欢出国留学啊！"_____ 出国留学。

　　A.　他不喜欢

　　B.　孩子不喜欢

　　C.　孩子都喜欢

　　D.　孩子都不喜欢

3. 他说："明天他来不了。"他明天 _____ 。

　　A.　可以来

　　B.　可以不来

　　C.　不可以来

　　D.　不想来

北京的胡同

四 世 同 堂

我朋友是中国的一位非常有名的作家，北京人。他是一九五三年出生的，今年四十八岁。他写了十几本小说和很多杂文。他家在北大北面的一条大街上。他家人口很多。昨天是他的生日，我去他家吃饭。我们吃的是面条。吃饭时，我见到了他一家人。

我朋友的家是四世同堂。

他祖父岁数很大了，是"五四"时代的一位名人。他祖母是去年去世的。

他爸爸今年六十多了，听说，他还在工作。他是搞数学的，每天都有研究生来他家问问题。他妈妈早就退休了。听她的口音，她不是北京人。

我朋友的爱人不工作，在家搞家务。她每天早上差一刻八点去买菜，然后去食品店买点儿肉和鱼。上午十点半她去教堂，回家后就开始准备午饭，用不了半个小时饭就好了。我最喜欢吃她炒的鱼香肉丝和面条。他们家的饭菜非常好吃。

我朋友的大哥和嫂子在日本工作，很长时间没回国了。在日本他们都很想念他们的祖国和家人。有一年他们回国时，大家问他们："在日本生活好不好？"他们想了想说："还是在中国好啊！"他哥哥也爱好文学，日语不错。他经常跟孩子们说："要是想学好外语，就要多听、多说、多写、多念。"我想他说的很有道理。

他大姐是国家工业研究中心的研究员，她的工作条件很好。

他弟弟是位很有经验的小学教员，他教语文和数学，他的学生都非常喜欢他。

他妹妹是空中小姐，经常出国，钱也多。她爱买新衣服，爱用外国香水。听说，她的一件大衣就有一千多块。她跟我说，她爱上了一个法国人，将来想到法国去留学。现在学习汉语的外国人不少，她还想跟她男朋友在国外开一个中文学校。

我朋友有两个孩子，一个男孩儿，一个女孩儿。老大是女孩儿，是学化工的，她男朋友是学林业的，他们俩大学都还没毕业。老二没考上大学，现在已经工作了，在一个饭店当经理。他喜欢经商，将来想当大商人。他爱喝酒，外号叫"酒瓶子"。

在中国，四世同堂的家现在已经不多见了。

1	通	tōng	open; notify, connect			
2	过 [過]	guò	pass; fault	通过	tōngguò	by; pass through
3	闻 [聞]	wén	hear, smell; news	新闻	xīnwén	news
4	者	zhě	(a suffix)	记者	jìzhě	reporter
5	介	jiè	be situated between			
6	绍 [紹]	shào	carry on, continue	介绍	jièshào	introduce
7	认 [認]	rèn	recognize, admit			
8	识 [識]	shí	know; knowledge	认识	rènshi	know, understand
9	那	nà	that			
10	漂	piào				
11	亮	liàng	bright; shine	漂亮	piàoliang	beautiful
12	静	jìng	still, quiet	文静	wénjìng	gentle and quiet
13	山	shān	hill, mountain			
14	东 [東]	dōng	east	山东	Shāndōng	Shandong (Province)
15	姑	gū	aunt, father's sister			
16	娘	niáng	a young woman, mother	姑娘	gūniang	girl
17	旅	lǚ	travel	旅行	lǚxíng	travel
18	社	shè	agency, society	旅行社	lǚxíngshè	travel service
19	翻	fān	translate, turn over, cross			
20	译 [譯]	yì	translate	翻译	fānyì	translator; translate
21	能	néng	can; energy, ability			
22	读 [讀]	dú	read			
23	懂	dǒng	understand, know			
24	句	jù	sentence	几句	jǐ jù	a few words, some sentences
25	古	gǔ	ancient			
26	诗 [詩]	shī	poem	古诗	gǔshī	classical poem
27	英	yīng	Britain, hero	英语	Yīngyǔ	English
28	得	de	(a structural particle)			
		dé	get	得到	dédào	get, obtain, receive
		děi	must, have to			
29	流	liú	flow, drifting			
30	利	lì	sharp; benefit	流利	liúlì	fluent

短句 通过新闻记者介绍，我认识了那位漂亮文静的山东姑娘，她是旅行社翻译，能读懂几句古诗，英语说得很流利。

Tōngguò xīnwén jìzhě jièshào, wǒ rènshi le nà wèi piàoliang wénjìng de Shāndōng gūniang, tā shì lǚxíngshè fānyì, néng dúdǒng jǐ jù gǔshī, Yīngyǔ shuō de hěn liúlì.

繁體 通過新聞記者介紹，我認識了那位漂亮文静的山東姑娘，她是旅行社翻譯，能讀懂幾句古詩，英語説得很流利。

组 词		口 语

组 词	
通知	notify, inform
过去	in or of the past
经过	pass; through
去过	went, have been
吃过	ate, have eaten
不过	but
见闻	information
作者	author
读者	reader
学者	scholar
诗人	poet
记得	remember
认真	serious
见识	experience
知识	knowledge
知识分子	intellectual
那儿	there
那么	like that, then
姑姑	father's sister
可能	maybe, possible
句子	sentence
古代	ancient times
古老	ancient
英国	Britain
英文	English
有利	advantageous
利用	use
听得懂	can understand
听不懂	can't understand
听得见	can hear
说不上	cannot say
长得漂亮	look beautiful

口 语

◆ 你去过哪些国家?

◇ 我去过法国、英国、中国和日本。

◆ 你吃过日本饭吗?

◇ 我没吃过日本饭。听说,日本饭也挺好吃。

◆ 你读没读过中国的古诗?

◇ 我读过一点儿,是汉代和明代的诗人写的。

◆ 你读得懂吗?

◇ 有的读得懂,有的读不懂。中国古代有很多有名的诗人。过去,中国有名的学者和知识分子都喜欢写诗。

◆ 你能翻译中国的古诗吗?

◇ 可能现在还不行,以后我很想翻译一些。

◆ 你英语学了多长时间了?

◇ 我上中学的时候就开始学英语,现在已经学了六年了。我学习很认真,英语说得还可以。

◆ 去英国旅行的时候,英国人说的你听得懂吗?

◇ 我都能听得懂。

◆ 真的吗?

◇ 当然是真的。

◆ 你认识小王的姑姑吗? 她长得漂亮不漂亮?

◇ 我认识她,她是记者,人长得说不上漂亮,可是那个人很文静,是个有知识、有文化的人。

◆ 你们是怎么认识的?

◇ 是通过朋友介绍的,那时候她还是个姑娘呢。

通	过	闻	者	介	绍	认	识	那	漂
亮	静	山	东	姑	娘	旅	社	翻	译
能	读	懂	句	古	诗	英	得	流	利

语 法　Grammar

● 动态助词"过"放在动词后，说明某种动作曾在过去发生，有过某种经历。否定用"没（有）……过"。

The aspect particle 过 occurring immediately after a verb denotes that some action took place in the past. It is often used to emphasize an experience. The negative form of 过 is 没(有)…过.

```
S　没(有)V 过　O
```

我　　　去 过 美国。
我　没　　去 过 美国。

正反疑问方式是：

The affirmative-negative question with 过 is：

```
S　V 过 O 没有？
S　V 没 V 过　O？
S　V 过没 V 过　O？
```

你去过中国没有？
你去没去过中国？
你去过没去过中国？

● 说明动作的结果的补语叫结果补语。结果补语常是动词，如"懂"；或形容词，如"好"。

The resultative complement, expressed either by a verb such as 懂 or an adjective such as 好, indicates the result of an action, e. g.

```
S　V v (adj)　O
```

我　读 懂 了　这句古诗。
她　买 好 了　水果。

● 可能补语是在动词和结果补语之间加"得"。否定形式将"得"换成"不"。正反疑问形式是把肯定形式和否定形式并列在一起。如：

A potential complement is formed with the structural particle 得 inserted between a verb and a resultative complement. The negative form is made by replacing 得 with 不. The affirmative-negative interrogative form is made by juxtaposing the affirmative and negative forms of the potential complement, e. g.

```
S V 得 V
S V 不 V
S V 得 V V 不 V O？
```

我读得懂。
我读不懂。
你读得懂读不懂古诗？

● 说明动作达到的程度的补语叫程度补语。简单程度补语由形容词担任。动词和程度补语之间要加"得"。否定形式是把"不"放在形容词之前。正反疑问形式是并列补语的肯定和否定形式。如：

Complements that indicate the degree of an action are called complements of degree. Simple complement of degree is usually made of adjectives and the structural particle 得 which is used to connect the verb and its complement of degree. The negative form is made by adding 不 before the complement. The interrogative form is made by juxtaposing the affirmative and negative forms, e. g.

```
S　O V 得　adj
```

她 英语 说 得　很 流利。
她 英语 说 得　不 流利。
她 英语 说 得　流利不流利？

● **选择正确的位置**　Choose a correct position:

1. 我爸爸的朋友 A 来 B 北京以前没 C 吃 D 中国饭。

　　　　　　　　　　过

2. 北京人说 A 的有的我听 B 懂 C,有的我听 D 不懂。

　　　　　　　　得

3. 午饭我 A 妈妈还 B 没 C 做 D 呢。

　　　　　　好

4. 他弟弟 A 汉语 B 说 C 得 D 流利。

　　　　　　不

● **选择正确的答案**　Choose a correct answer:

1. 来北京以后你_____法国大菜?

　　A.　吃过

　　B.　吃过没

　　C.　吃过没吃过

　　D.　没吃过

2. 我朋友_____。

　　A.　写汉字很好

　　B.　写汉字得很好

　　C.　写很好汉字

　　D.　汉字写得很好

3. 他汉语学得_____?

　　A.　很好

　　B.　好不好

　　C.　好呢

　　D.　好吗

1	海	hǎi	*sea*	上海	Shànghǎi	*Shanghai*
2	电 [電]	diàn	*electricity*			
3	视 [視]	shì	*look at, regard*	电视	diànshì	*television*
4	台 [臺]	tái	*stand, platform, station*	电视台	diànshìtái	*television station*
5	节 [節]	jié	*festival, joint, node, item*			
6	目	mù	*eye, item, catalogue*	节目	jiémù	*programme, item*
7	主	zhǔ	*host, owner, master*			
8	持	chí	*hold, support*	主持人	zhǔchírén	*anchor person, host(ess)*
9	细 [細]	xì	*slender, careful*			
10	高	gāo	*high, tall*	高个儿	gāogèr	*a tall person*
11	瘦	shòu	*thin, emaciated, lean*			
12	腿	tuǐ	*leg*			
13	瓜	guā	*melon, gourd*	瓜子	guāzǐ	*melon seeds*
14	脸 [臉]	liǎn	*face*			
15	眼	yǎn	*eye*			
16	睛	jīng	*eyeball*	眼睛	yǎnjīng	*eye*
17	美	měi	*beautiful; America*			
18	丽 [麗]	lì	*beautiful*	美丽	měilì	*beautiful*
19	迷	mí	*enchant, be lost*	迷人	mírén	*charming, fascinating*
20	谁 [誰]	shuí	*who*			
21	够	gòu	*quite; enough*			
22	精	jīng	*refined, smart; essence*			
23	神	shén	*spirit, deity, god*	精神	jīngshen	*lively; spirit*
24	简 [簡]	jiǎn	*simple*			
25	直	zhí	*straight*	简直	jiǎnzhí	*at all, simply*
26	像	xiàng	*be like; portrait*			
27	影	yǐng	*shadow*			
28	片	piān		影片儿	yǐngpiānr	*film*
		piàn	*a flat thin piece, slice*	名片	míngpiàn	*visiting card*
29	模	mó	*model, standard; copy*			
30	特	tè	*special*	模特儿	mótèr	*model*

短句 上海电视台节目主持人，细高个儿，瘦长腿，瓜子脸，眼睛美丽迷人，谁都说够精神的，简直像影片中的模特儿。

Shànghǎi diànshìtái jiémù zhǔchírén, xìgāo gèr, shòucháng tuǐ, guāzǐ liǎn, yǎnjīng měilì mírén, shuí dōu shuō gòu jīngshén de, jiǎnzhí xiàng yǐngpiàn zhōng de mótèr.

繁體 上海電視臺節目主持人，細高個兒，瘦長腿，瓜子臉，眼睛美麗迷人，誰都説够精神的，簡直像影片中的模特兒。

组 词		口 语

组 词

海军	navy
节日	festival
目前	at present
主要	main
主人	master
支持	sustain, support
细心	careful
高中	senior school
高中生	高中的学生
高大	tall and big
瘦小	thin and small
瘦肉	lean meat
美国	U. S. A.
美学	aesthetics
美学家	aesthete
美食家	gourmet
眼前	at the moment
眼科	ophthalmology
眼界	field of vision
能够	can, be able to
简单	simple
简写	simplified form
简化	simplify
一直	straight, always
电车	tram, trolleybus
电台	radio station
电影	film
电影迷	film fan
名片	visiting card
图片	picture
肉片	sliced meat
特点	characteristic

口 语

◆ 你家有几口人？

◇ 我家有五口人，我父母、我、我爱人和一个孩子，三世同堂。

◆ 你就有一个孩子？

◇ 我们一直想要两个孩子，可是不行啊！如果再生一个，那问题就大了！

◆ 你爱人干什么工作？

◇ 她是新闻记者。

◆ 她在哪个单位工作？

◇ 她在北京电台工作，她每天很晚回家。

◆ 你孩子工作了吗？

◇ 没有，他现在上高中，明年准备考大学。

◆ 将来他想干什么工作？

◇ 目前他说，他真想当电视节目主持人。

◆ 你知道这图片上的人是谁吗？

◇ 她是一位电影明星。

◆ 你能够说出她是哪国人吗？

◇ 能，这很简单。她是美国人，以前是模特儿。她的主要特点是长得又瘦又高。节日的时候，她还经常来上海电视台主持英语节目。

◆ 你怎么知道得那么多啊？

◇ 我认识她，我这儿有她的名片。

◆ 你准是个电影迷！

◇ 说不上是电影迷，我是搞美学的，多知道点儿。

海	电	视	台	节	目	主	持	细	高
瘦	腿	瓜	脸	眼	睛	美	丽	迷	谁
够	精	神	简	直	像	影	片	模	特

语　法　Grammar

● 疑问代词有时不表示疑问，而是代替任何人、任何事物或任何方式，后面常有副词"都"或"也"。如：
Sometimes interrogative pronouns are used not to form questions, but to refer to anybody, anything, or whatever way, and are normally followed by 都 or 也, e. g.

　　　　谁都说够精神的。　　（每个人都说够精神的。）
　　　　我什么也不吃。　　　（我各种食品都不吃。）
　　　　我哪儿都想去。　　　（每个地方我都想去。）
　　　　我怎么去都行。　　　（我坐汽车去，坐地铁去，骑自行车去都行。）

● "出""上""到""见"等动词常做结果补语，如：
The verbs 出, 上, 到 and 见 are often used as resultative complements, e. g.

S	V v	O
我能	说出	她是谁。
你能	写出	他的名字吗?
他	考上	研究生了。
她	爱上了	一个法国人。
我	见到了	他一家人。
我	买到了	那本书。
我	坐到	北京大学。（坐车）
我	学到	今年七月。
他	听见了	我说什么。
我	遇见了	一个朋友。

● 能愿动词"能""想""要""可以"在动词前，否定时用"不"，如：
Helping verbs such as 能, 想, 要, and 可以 are more often than not to appear before verbs to express ability, possibility, intention, or wishes. They are made negative by adding 不 before them, e. g.

	S	V	V	O
	我	能	读懂	古诗。
	我	不能	去	上课。
	她	想	去	旅行。
	他	想	考	研究生。
	我	要	买	一本汉语书。
	他	要	回	国。
后天	他	可以	来	我家。
明天	我	不可以	去	教室。

● **选择正确的位置**　Choose a correct position:

1. 你 A 能 B 写 C 你的老师的名字 D 吗?

　　　　　　出

2. 他孩子今年 A 考 B 了 C 大学的研究生 D。

　　　　　　上

3. 最后我在 A 书店 B 买 C 了 D 那本语法书。

　　　　　　到

4. 昨天我 A 在街上 B 遇 C 了 D 一位老朋友。

　　　　　　见

● **选择正确的答案**　Choose a correct answer:

1. 我能说_____他叫什么名字。

    A.　见

    B.　到

    C.　上

    D.　出

2. 他的孩子大学毕业后很_____考研究生。

    A.　能

    B.　可以

    C.　要

    D.　想

3. 他说:"我哪儿都想去。"也就是说,他_____。

    A.　知道去哪儿

    B.　不知道去哪儿

    C.　什么地方都想去

    D.　想去的地方很多

1	超	chāo	surpass; super			
2	级 [級]	jí	level, degree, grade	超级	chāojí	super
3	市	shì	market, city			
4	场 [場]	chǎng	a place where people gather	市场	shìchǎng	market, marketplace
5	卖 [賣]	mài	sell, betray			
6	妇 [婦]	fù	woman, married woman	妇女	fùnǚ	woman
7	装	zhuāng	clothing; pretend	服装	fúzhuāng	costume
8	红 [紅]	hóng	red			
9	白	bái	white			
10	黑	hēi	black			
11	绿 [綠]	lǜ	green			
12	橘	jú	tangerine			
13	黄	huáng	yellow	橘黄	júhuáng	orange colour
14	深	shēn	dark, deep			
15	蓝 [藍]	lán	blue	深蓝	shēnlán	dark blue
16	浅 [淺]	qiǎn	shallow, light, superficial			
17	灰	huī	grey, ash, dust	浅灰	qiǎnhuī	light grey
18	色	sè	colour			
19	选 [選]	xuǎn	select			
20	择 [擇]	zé	choose	选择	xuǎnzé	select
21	穿	chuān	wear, cross			
22	颜 [顏]	yán	colour, face	颜色	yánsè	colour
23	式	shì	type, style, form, pattern			
24	样 [樣]	yàng	appearance, shape, sample	式样	shìyàng	style, type, model
25	反	fǎn	in reverse; counter			
26	映	yìng	reflect, mirror	反映	fǎnyìng	reflect
27	性	xìng	nature, sex			
28	格	gé	pattern, style	性格	xìnggé	nature, disposition
29	需	xū	need; necessaries			
30	求	qiú	request, demand	需求	xūqiú	requirement, demand

短句 超级市场上卖的妇女服装有红的、白的、黑的、绿的、橘黄、深蓝和浅灰色的，选择穿什么颜色和式样的反映了人的性格和需求。

Chāojí shìchǎng shang màide fùnǚ fúzhuāng yǒu hóng de, bái de, hēi de, lǜ de, júhuáng, shēnlán hé qiǎnhuīsè de, xuǎnzé chuān shénme yánsè hé shìyàng de fǎnyìngle rén de xìnggé hé xūqiú.

繁體 超級市場上賣的婦女服裝有紅的、白的、黑的、綠的、橘黄、深藍和淺灰色的，選擇穿什麼顏色和式樣的反映了人的性格和需求。

组 词		口 语

<table>
<tr><td>年级</td><td>grade</td></tr>
<tr><td>北京市</td><td>City of Beijing</td></tr>
<tr><td>商场</td><td>market, bazaar</td></tr>
<tr><td>运动场</td><td>sports ground</td></tr>
<tr><td>买卖</td><td>business</td></tr>
<tr><td>妇科</td><td>gynecology</td></tr>
<tr><td>女装</td><td>women's clothes</td></tr>
<tr><td>男装</td><td>men's clothes</td></tr>
<tr><td>时装</td><td>fashionable dress</td></tr>
<tr><td>口红</td><td>lipstick</td></tr>
<tr><td>红茶</td><td>black tea</td></tr>
<tr><td>绿茶</td><td>green tea</td></tr>
<tr><td>橘子</td><td>tangerine</td></tr>
<tr><td>明白</td><td>understand</td></tr>
<tr><td>白天</td><td>day time</td></tr>
<tr><td>白酒</td><td>white spirit</td></tr>
<tr><td>黄瓜</td><td>cucumber</td></tr>
<tr><td>红色</td><td>red</td></tr>
<tr><td>黑色</td><td>black</td></tr>
<tr><td>黄色</td><td>yellow</td></tr>
<tr><td>蓝色</td><td>blue</td></tr>
<tr><td>绿色</td><td>green</td></tr>
<tr><td>选用</td><td>select, choose</td></tr>
<tr><td>一样</td><td>same</td></tr>
<tr><td>怎么样</td><td>how</td></tr>
<tr><td>什么样</td><td>what type</td></tr>
<tr><td>反面</td><td>reverse side</td></tr>
<tr><td>女性</td><td>the female sex</td></tr>
<tr><td>男性</td><td>the male sex</td></tr>
<tr><td>人性</td><td>human nature</td></tr>
<tr><td>需要</td><td>need</td></tr>
<tr><td>要求</td><td>demand</td></tr>
</table>

在 服 装 店

◆ 先生，有女式大衣吗？

◇ 有，这些都是女式大衣，这是大人穿的，这是小孩儿穿的。有红的、蓝的，您要什么颜色的？

◆ 我不喜欢红色和蓝色的，有绿色的吗？

◇ 有。您穿多大号的？什么样的？

◆ 我穿中号的，一百公分的，这样的。

◇ 小姐，这件绿色的怎么样？

◆ 很漂亮，可是有点儿小，有没有大一点儿的？

◇ 这件长一点儿，颜色跟那件一样。

◆ 好，我买这件，多少钱一件？

◇ 八百三十。

◆ 有点儿贵，五百块钱怎么样？

◇ 不行，不行。如果您真想要，七百五十。

◆ 好，七百五十。

◇ 我真不明白你们外国人有那么多钱，怎么还老说，贵，贵，贵什么的。

◆ 我们是学生，还没工作呢，没有很多钱，如果我们有很多钱，就不到你这儿买衣服了，就去大商场了。我们也不明白，在北京市怎么一样的衣服，要的钱不一样呢？这需要研究研究。

◇ 你不是买卖人，你懂吗？有的人要的衣服又好，又不贵，有的人就要不贵的，人们的要求不同。

超	级	市	场	卖	妇	装	红	白	黑
绿	橘	黄	深	蓝	浅	灰	色	选	择
穿	颜	式	样	反	映	性	格	需	求

● "跟……一样"表示两种事物比较的结果是相同的。如：

跟…(不)一样 can be used to compare two things whether or not they are identical, e. g.

A	跟	B	（不）	一样

这件的颜色 跟 那件　　　　 一样。

我的笔　　 跟 他的笔　　　 一样。

我的书　　 跟 她的　 不 一样。

● "跟……一样"可以放在形容词前。如：

跟…一样 may be used before an adjective, e. g.

A	跟	B	（不）	一样	adj

这件衣服　 跟 那件　　　 一样 贵。

这条裤子　 跟 那条　　　 一样 长。

我的毛衣　 跟 她的　 不 一样 大。

● "跟……一样"可以作定语。如：

跟…一样 can be used as an adjective modifier, e. g.

一样	的	N

我要买一件跟那件 一样 的 衣服。

这是三本　　　　 一样 的 汉语书。

● "跟……一样"可以作补语。如：

跟…一样 can be used as a complement, e. g.

A	O	V	得	跟	B	（不）	一样	adj

她 汉语 说 得 跟 中国人　　 一样 流利。

她　　 长 得 跟 她姐姐　　 一样 漂亮。

他　　 长 得 跟 他弟弟 不 一样 高。

● "……什么的"用于一组词后，表示同类的事物。如：

…什么的 means "things like that, and so on, and what not, and etc." It is used after a series of items, e. g.

他老说，贵，贵，贵什么的。

我买了一些书，本子，钢笔什么的。

● **选择正确的位置**　Choose a correct position:

1. 我的 A 这件毛衣 B 他的 C 那件 D 一样。
  　　　　跟

2. 我 A 买的衣服 B 跟 C 他买的 D 一样。
  　　　　不

3. 他的 A 书 B 跟我的书 C 一样 D。
  　　　　　多

4. 我 A 姐姐要买 B 一件跟我 C 一样 D 裤子。
  　　　　　的

● **选择正确的答案**　Choose a correct answer:

1. 他买的毛衣的颜色跟橘子的颜色一样。他的毛衣的颜色是 _____ 。

    A.　黄的

    B.　浅黄的

    C.　橘黄的

    D.　深黄的

2. 他买了一些书、本子、钢笔什么的。也就是说，_____ 。

    A.　他就买了书、本子和钢笔。

    B.　他不知道他买的是什么。

    C.　他不知道他买的钢笔是什么钢笔。

    D.　他买的有书、本子、钢笔……

3. 他穿一百公分的上衣,他穿 _____ 的。

    A.　小号

    B.　大号

    C.　中式

    D.　中号

1	表	biǎo	*show; surface, form, metre*			
2	示	shì	*show*	表示	biǎoshì	*show, express*
3	礼 [禮]	lǐ	*ceremony, courtesy*			
4	貌	mào	*appearance*	礼貌	lǐmào	*politeness*
5	方	fāng	*way, side, region*	方式	fāngshì	*way*
6	与 [與]	yǔ	*and*			
7	西	xī	*west*	西方人	xīfāngrén	*Westerner*
8	区 [區]	qū	*classify; area, district*			
9	别	bié	*distinction; other; don't*	区别	qūbié	*difference*
10	确 [確]	què	*true, real; really*			
11	实 [實]	shí	*solid, true; reality*	确实	quèshí	*really; reliable*
12	比	bǐ	*compare*			
13	较 [較]	jiào	*fairly*	比较	bǐjiào	*fairly; compare*
14	显 [顯]	xiǎn	*be apparent, show*	明显	míngxiǎn	*clear, obvious, evident*
15	例	lì	*example, instance, case*	例如	lìrú	*for example*
16	关 [關]	guān	*close, concern*			
17	系 [係]	xì	*system, department; relate to*	关系	guānxi	*relation*
18	密	mì	*dense, close, thick; secret*			
19	切	qiè	*correspond to; anxious*	密切	mìqiè	*close, intimate*
20	或	huò	*or*			
21	亲 [親]	qīn	*intimate; parent*			
22	近	jìn	*near; approaching*	亲近	qīnjìn	*be close to*
23	之	zhī	*(a structural particle), of*	之间	zhījiān	*between, among*
24	互	hù	*each other*			
25	相	xiāng	*each other*	互相	hùxiāng	*mutual, each other*
		xiàng	*looks, appearance*			
26	帮 [幫]	bāng	*to help*			
27	助	zhù	*to help*	帮助	bāngzhù	*to help*
28	必	bì	*certainly*			
29	总 [總]	zǒng	*always, total*			
30	谢 [謝]	xiè	*thank*	谢谢	xièxie	*thank you*

短句

中国人表示礼貌的方式与西方人区别确实比较明显，例如：关系密切或亲近的人之间互相帮助的时候，不必总说："谢谢！"

Zhōngguórén biǎoshì lǐmào de fāngshì yǔ xīfāngrén qūbié quèshí bǐjiào míngxiǎn, lìrú: Guānxi mìqiè huò qīnjìn de rén zhījiān hùxiāng bāngzhù de shíhou, bú bì zǒng shuō: "Xièxie!"

繁體

中國人表示禮貌的方式與西方人區別確實比較明顯，例如：關係密切或親近的人之間互相幫助的時候，不必總説："謝謝！"

组　词		口　语
表现	performance	◆ 昨天下午你去什么地方了？
代表	deputy, represent	◇ 我去商场买东西了。
发表	publish	◆ 你买什么东西了？
地方	place	◇ 我买了点儿礼品和一件西服。
方法	method	◆ 中国的西服比法国的贵吗？
方面	aspect	◇ 中国的西服没有法国的那么贵，可是有的西服
礼品	gift	比法国的好。特别是男式西服，中国的西服上
东西	[dōngxi] thing	衣和西服裤子跟法国的差不多一样。
中式	中国式	◆ 中国和法国在吃饭方面有什么区别？
西式	Western style	◇ 区别可大了。比如说：中国菜单上的菜比法国
西服	Western-style clothes	多得多。中国菜是很多菜一块儿吃，法国菜是
西餐	Western-style food	一道一道吃。法国的黄瓜没中国的那么好吃。
西瓜	watermelon	◆ 在人的方面呢？
差别	[chābié] difference	◇ 中国姑娘没有法国姑娘那么高，可是有的中国
特别	special; especially	模特儿比法国模特儿漂亮得多。
别的	other	◆ 最近我父亲和母亲从中国旅行回来说，中国人
别去	don't go	英语说得比法国人好得多。是真的吗？
实现	realize	◇ 在发音方面是这样，他们有的人英语说得比法
例子	example	国人流利一点儿。有关这方面的例子很多。
比如	for example	◆ 在学习方法上，中国学生和法国学生一样吗？
有关	relate to	◇ 不一样。中国学生比较喜欢记，法国学生总是
一切	all	喜欢问问题。或者说，中国学生学得没有法国
或者	or	学生那么活。另外，中国大多数学生喜欢学自
父亲	father	然科学，法国学生学习文学的不少。
母亲	mother	
亲密	intimate	
亲爱的	dear	
之中	among	
相片	[xiàngpiàn] photo	
相反	[xiāngfǎn] contrary	
最近	recently	
总是	always	

表	示	礼	貌	方	与	西	区	别	确
实	比	较	显	例	关	系	密	切	或
亲	近	之	互	相	帮	助	必	总	谢

语　法　Grammar

● 用"比"表示比较的形容词谓语句，其词序如下。否定用"没有"代替"比"。

比 can be used to express comparison between two objects. The following table shows the position of 比 in sentences with an adjective predicate. The negative form is made by replacing 比 with 没有, e. g.

A	比（没有）	B	adj
中国的西服	比	法国的	贵 吗？
中国的西服	比	法国的	贵。
中国的西服	没有	法国的	贵。

● 在用"有"和"没有"的比较句中，"那么"可以放在形容词前。如：

那么 may be put before the adjective in the sentence of comparison with 有 or 没有, e. g.

A	有（没有）	B	那么	adj
中国的西服	有	法国的	那么	贵。
中国的西服	没有	法国的	那么	贵。

● 在用"比"表示比较的句式中可以在形容词后加上数量词或"一点儿""得多"等表示具体的差别。如：

The numeral-measure word, 一点儿 or 得多, can be placed after the adjective to express the difference, e. g.

A	比	B	adj	
他	比	我	大	五岁。
这本书	比	那本书	贵	三块。
我朋友	比	他弟弟	高	一点儿。
中国	比	日本	大	得多。

● 某些动词谓语句也可以用"比……"表示比较。如：

比…may also be used to express comparison in some sentences with a verbal predicate, e. g.

A	比	B	V	V	O
他	比	我	喜欢	吃	中国饭。
我	没有	他 那么	想	去	旅行。

● 带程度补语的动词谓语句也可以用"比……"表示比较。如：

比…can be used in the sentence with a complement of degree, e. g.

A	O	V	得	比	B	adj	
他	汉字	写	得	比	我	好	得多。
他	英语	说	得	比	我	流利	一点儿。
我	法语	说	得	没有	他	好。	

● **选择正确的位置**　Choose a correct position:

1. 他 A 穿的西服 B 我 C 的 D 好。

　　　　　　比

2. A 在我们学校的 B 日本学生 C 美国学生 D 多。

　　　　　　没有

3. 他弟弟 A 比 B 他哥哥 C 一点儿 D。

　　　　　　高

4. 我的毛衣比 A 他 B 的 C 贵 D 多。

　　　　　　得

● **选择正确的答案**　Choose a correct answer:

1. 我十八岁，他十六岁。我比他大几岁？

　　A.　三岁

　　B.　二岁

　　C.　四岁

　　D.　两岁

2. 我的裤子四十块，他的裤子四百五十快。他的裤子比我的 _____ 。

　　A.　贵一点儿

　　B.　很贵

　　C.　非常贵

　　D.　贵得多

3. 他的衣服不比我的大。也就是说，_____ 。

　　A.　他的衣服没有我的大

　　B.　他的衣服跟我的一样大

　　C.　他的衣服比我的小

　　D.　他的衣服可能跟我一样大，也可能比我的小

【识字十五】

1	根	gēn	root (of a plant), cause			
2	据 [據]	jù	occupy; according to	根据	gēnjù	according to
3	观 [觀]	guān	watch, view			
4	察	chá	look into	观察	guānchá	observe
5	村	cūn	village	村子	cūnzi	village
6	里 [裏]	lǐ	inside	村子里	cūnzi li	in the village
7	居	jū	reside, live			
8	住	zhù	live	居住	jūzhù	live, reside
9	农 [農]	nóng	agriculture, farmer			
10	民	mín	the people	农民	nóngmín	peasant, farmer
11	种 [種]	zhǒng	kind, sort, seed			
		zhòng	grow, plant	种花	zhòng huā	grow flowers
12	传 [傳]	chuán	pass			
13	统 [統]	tǒng	unite; all	传统	chuántǒng	tradition
14	惯 [慣]	guàn	be in the habit of	习惯	xíguàn	habit, custom
15	收	shōu	receive	收到	shōudào	receive
16	访 [訪]	fǎng	visit			
17	客	kè	guest	客人	kèrén	guest
18	送	sòng	give			
19	物	wù	thing, matter	礼物	lǐwù	gift
20	般	bān	sort	一般	yìbān	generally
21	看	kàn	see, look, read			
22	否	fǒu	negate, deny			
23	则 [則]	zé	standard, rule	否则	fǒuzé	otherwise
24	会 [會]	huì	can, meet; meeting, association			
25	让 [讓]	ràng	let, give way; by (passive form)			
26	笑	xiào	laugh, smile			
27	话 [話]	huà	word, talk	笑话	xiàohua	jeer at, laugh at; joke
28	被	bèi	quilt; by (passive form)			
29	议 [議]	yì	discuss			
30	论 [論]	lùn	discuss; theory	议论	yìlùn	talk about, discuss

短句 根据我的观察，在村子里居住的农民有种传统习惯，收到来访客人送的礼物以后一般不打开看，否则会让人笑话和被人议论。

Gēnjù wǒ de guānchá, zài cūnzi li jūzhù de nóngmín yǒu zhǒng chuántǒng xíguàn, shōudào lái fǎng kèrén sòng de lǐwù yǐhòu yìbān bù dǎkāi kàn, fǒuzé huì ràng rén xiàohua hé bèi rén yìlùn.

繁體 根據我的觀察，在村子裏居住的農民有種傳統習慣，收到來訪客人送的禮物以後一般不打開看，否則會讓人笑話和被人議論。

组 词		口 语

组 词	
根本	at all; base
据说	it is said
观点	point of view
农村	countryside
农业	agriculture
里面	inside
人民	the people
品种	variety
传真	facsimile
访问	visit
客厅	drawing room
送礼	give sb. a present
人物	personage
动物	animal
食物	food
物理	physics
欢送	see off
看书	read a book
看电影	see a film
看得懂	can understand
社会	society
会说	can speak
会话	conversation
会见	meet with
会场	meeting-place
开会	hold a meeting
说话	speak, talk
北京话	Beijing dialect
电话	telephone
被子	quilt
理论	theory
论文	thesis

口 语

◆ 你会说汉语吗?

◇ 我会说一点儿,可是,看不懂中文电视和电影。

◆ 你看得懂中国古代小说吗?

◇ 我看得懂《西游记》,别的小说看不懂。

◆ 一般人都学英语,是谁让你学汉语的?

◇ 我父亲。他退休前访问过中国,他很喜欢中国古老的文化。一位作家送他一本书叫《老子》。他跟我说,要写论文和研究道家理论,就要看这本书,书里面的话和老子的一些观点很有道理,他代表了那个时代一些中国人的想法。

◆ 老子是谁?是什么人?

◇ 他是两千年以前中国的一位很有学问的人,是中国古代道家的代表人物。

◆ 据说,中国是个农业国,现在中国的社会问题不少,这是真的吗?

◇ 社会问题有是有,不过,跟记者们说的不一样。一个朋友打电话问我:"据说,现在有很多农村人到北京去,他们没有工作,没有饭吃,是真的吗?"我跟他说,根本不是那样,我在北京看到的是:不少从农村来的人都有工作,他们有的卖菜,有的开商店,有的作买卖,有的人还买了汽车。一般来说,他们生活得还不错。

◆ 被你这么一说,我也想学点儿汉语,到中国去好好看看。

根	据	观	察	村	里	居	住	农	民
种	传	统	惯	收	访	客	送	物	般
看	否	则	会	让	笑	话	被	议	论

语 法　　Grammar

● 能愿动词"会"的用法举例:

Usage of the helping verb 会, e. g.

S	V	V	O
我	会	说	一点儿汉语。
我	不会	说	汉语。
你会不会		说	汉语?

● 用介词"被""让""叫"可以构成被动句。"被"用于书面语,口语中多用"让"和"叫"。如:

The passive sentences are formed with the prepositions 被, 让 and 叫 . 被 is used mostly in written Chinese; in colloquial speech 让 and 叫 are used more often, e. g.

O	被	S	V
(我)	被	你这么一说,	我也想学点儿汉语。
他	被	那个人	打了。
他	被	大家	议论。
他	被	我	看见了。
我的啤酒	让	他	喝了。
那个菜	让	他	吃了。
他的名字	叫	我们	知道了。
他买的衣服	叫	我	看见了。

● "让"也常用于兼语句,"让"表示要求别人做某事。如:

让 is usually used when asking someone to do something. 让 is followed immediately by the person being asked to do something, e. g.

S	V	O	V	O
我父亲	让	我	学	汉语。
老师	让	我	去	买一本书。
他	让	我	问	你。

● 形容词重叠后常作状语修饰动词。形容词重叠后可以加"地",如:

When repeated, an adjective often functions as adverb modifying the verb. As an adverbial modifier, a repeated adjective may be followed by 地, e. g.

S	adj	adj	(地)	V	O
你	好	好		看看	这本书。
你	好	好	地	看看	这本书。
我	好	好		学习	汉语。
我	好	好	地	学习	汉语。

● **选择正确的位置**　Choose a correct position:

1. 他 A 说，昨天 B 他 C 他的同学 D 打了。

　　　　　　　　被

2. 张老师 A 我 B 去商店 C 买 D 两个本子。

　　　　　　　让

3. 父母让我在 A 北京 B 好好 C 学习 D 中文。

　　　　　　地

4. A 北京人 B 都 C 骑自行车 D 上班。

　　　　一般

● **选择正确的答案**　Choose a correct answer:

1. 她_____开汽车，不过，开得不太好。

　　A.　能

　　B.　可以

　　C.　想

　　D.　会

2. 如果我们不懂，老师_____我们问她。

　　A.　被

　　B.　让

　　C.　叫

　　D.　说

3. 她认真_____跟我说："真的，这不是我的。"

　　A.　的

　　B.　得

　　C.　地

　　D.　很

北京的白塔寺

中 国 见 闻

　　我是一名英国记者，在北京工作已经五年多了。中国人常常叫外国人"老外"，这么，我就起了个中国名字"老外"。

　　我的汉语是到北京以后学的。现在我跟中国人说话一般都不用翻译。我的发音不怎么好，不过，他们还听得懂。

　　通过同事和朋友们的介绍，我认识了很多中国人。他们之中有不少名人、学者、教师、诗人、数学家、物理学家和美食家，也有工人和农民。在这五年中，我的见闻不少，都是过去从来没见过的，真是大开了眼界，长了不少见识。

　　有一天，我去农村看一个朋友。喝茶的时候，他问我："您今年多大了？"我是个女的，当时一听，脸就红了，我真不知道回答什么。他一看我脸红了，就不问了。过了一会儿，他爱人又问我："每个月你有多少钱？"这时，我真想回家了，心想，这家人怎么这么不懂礼貌，我真是认错人了。后来我知道了，这是中国人的习惯，跟新认识的人，他们很喜欢问你个人的事儿，特别是农村人。知识分子，文化人不大问这方面的问题。

　　有时候，我说话，中国人也不大喜欢听。有一天，我在街上遇见一女友。她长得挺漂亮，腿很长，个子很高，瘦瘦的，简直就像个模特儿。一见面，我就说："你真瘦！"她好像不喜欢听我说她长得这么瘦。她说："是吗？那我可要多吃点儿肉了。"

　　我还发现中国女人，特别是姑娘们不喜欢穿黑色的衣服。一天，我去商店买件上衣。那个商店的服装五颜六色，就是没黑色的。我问时装店的小姐："有黑色的吗？"她笑着说："红的、黄的，多好看！谁买黑色的啊！"

　　中餐和西餐区别很大。中国人喝酒的习惯和西方人也不同。他们吃饭的时候常常喝白酒，喜欢干杯，有时候，一下子喝一瓶。我们喝白酒是饭后喝一小杯，他们就像喝白开水。如果你跟他们一起吃饭，不喝酒的话，不礼貌，要是喝，还真是喝不下去。

　　中国的水比啤酒还贵。有一天，我跟一位朋友去餐厅吃饭。我们很渴，要了两瓶啤酒和一瓶水。服务员说："两瓶啤酒三块五，一瓶水五块。"我问她："你是不是搞错了？水能比啤酒贵吗？"那位小姐笑着回答："没错，水当然比啤酒贵了！您真是老外！"

1	感	gǎn	*feel, sense, move, be affected*			
2	冒	mào	*give off, risk*	感冒	gǎnmào	*catch cold*
3	烧 [燒]	shāo	*run a fever, burn*	发烧	fāshāo	*have a fever*
4	肚	dù	*abdomen*	肚子	dùzi	*abdomen*
5	舒	shū	*leisurely; stretch*	舒服	shūfu	*comfortable*
6	头 [頭]	tóu	*head, hair, chief*			
7	疼	téng	*ache, love dearly*			
8	死	sǐ	*die; to death*	死了	sǐ le	*extremely; dead*
9	省	shěng	*province; economize*			
10	立	lì	*found, stand, set up*			
11	医 [醫]	yī	*medical science*			
12	院	yuàn	*yard, institute, hospital*	医院	yīyuàn	*hospital*
13	夫	fū	*man, husband*	大夫	dàifu	*doctor*
14	给 [給]	gěi	*give; for*			
15	检 [檢]	jiǎn	*examine, inspect*			
16	查	chá	*check, look into*	检查	jiǎnchá	*examine, inspect*
17	讲 [講]	jiǎng	*say, explain*			
18	着	zháo	*touch, be affected by*			
		zhe	*(a verbal suffix)*	坐着	zuòzhe	*sitting*
19	凉	liáng	*cool, cold*	着凉	zháoliáng	*be affected by cold*
20	害	hài	*evil; harm; harmful*			
21	怕	pà	*fear, dread; be afraid of*	害怕	hàipà	*be afraid*
22	病	bìng	*ill, disease*			
23	太	tài	*extremely, too*			
24	严 [嚴]	yán	*severe, strict, tight*			
25	重	zhòng	*weight; heavy*	严重	yánzhòng	*grave, serious*
26	注	zhù	*fix on; notes*			
27	意	yì	*idea, meaning*	注意	zhùyì	*pay attention to*
28	息	xī	*breath, interest*	休息	xiūxi	*have a rest*
29	药 [藥]	yào	*medicine*			
30	吧	ba	*(a modal particle)*			

短句　我感冒了，发烧，肚子不舒服，头疼死了。省立医院大夫给我检查后讲："是着凉，别害怕，病不太严重，注意休息，吃些药吧。"

Wǒ gǎnmào le, fāshāo, dùzi bù shūfu, tóu téngsǐ le. Shěnglì yīyuàn dàifu gěi wǒ jiǎnchá hòu jiǎng: "Shì zháoliáng, bié hàipà, bìng bú tài yánzhòng, zhùyì xiūxi, chī xiē yào ba."

繁體　我感冒了，發燒，肚子不舒服，頭疼死了。省立醫院大夫給我檢查後講："是着凉，别害怕，病不太嚴重，注意休息，吃些藥吧。"

68

组 词	
感谢	thank
感想	impressions
感到	sensed
头发	hair
山西省	Shanxi Province
立刻	immediately
医生	doctor
医学	medical science
西医	Western medicine
中药	中医用的药
西药	西医用的药
药店	pharmacy
药方	prescription
学院	college
院子	courtyard
夫人	Lady，Mrs.
夫妇	husband and wife
送给	give
讲话	speak，talk
讲课	teach，to lecture
买着了	买到了
笑着说	say smilingly
病人	patient
生病	fall ill
得病	fall ill
看病	see a doctor
太太	madam，wife
严格	strict
重要	important
超重	overload
同意	agree
意见	idea，opinion，view

口 语

去医院看病

◆ 小姐，小儿科在哪儿？

◇ 前面是妇科和眼科，过这两个科就是小儿科。

◆ 谢谢！
大夫，我的孩子感冒了，他老说头疼。

◇ 是男孩儿还是女孩儿啊？几岁了？

◆ 是男孩儿，今年八岁。

◇ 您坐着说。他发不发烧？哪儿不舒服？

◆ 有点儿发烧，有两天没怎么吃东西了。有时候他还说肚子疼。

◇ 着凉了。我给他开点儿药。他能吃中药吗？

◆ 我这孩子不喜欢吃中药。

◇ 这是药方，前面就是药店。我开的是西药。每天饭后吃两片，多给孩子喝开水。这一个星期别让他去上学了。别害怕，过两天就好了。

◆ 我同意你的意见。大夫，太感谢你了！

◇ 没什么，要是有什么问题，立刻给我打电话。

　　中医是中国的传统医学，在中国有几千年了。现在在中国的医科大学可以学习中医。北京还有一个中医研究院。有的病吃中药比吃西药好，我的一个朋友得了重病，西医说，他最多还能活几个月，可是吃中药以后，现在还没死，活得好好的。在中国有不少人生病的时候喜欢看中医。

感	冒	烧	肚	舒	头	疼	死	省	立
医	院	夫	给	检	查	讲	着	凉	害
怕	病	太	严	重	注	意	息	药	吧

语 法　Grammar

● 以主谓结构作谓语的句子，其主谓结构的主语所指的人或事物常属于全句主语所代表的人或事物，如：

A sentence in which a subject-predicate construction serves as its predicate is known as a sentence with a subject-predicate construction. In sentence of this kind, the person or thing indicated by the subject in the subject-predicate construction is closely related to or forms a part of the person or thing indicated by the subject of the whole sentence, e. g.

S	S	adj

我　肚子　不舒服。
他　头　　疼。
她　眼睛　美丽。

● "别"的用法举例：

Usage of 别, e. g.

S	别	V

你　别　去　上课了。
你　别　让　孩子去上学了。
你　别　学习 英语。

● 动词带动态助词"着"可以做状语修饰后面的动词，表示动作的方式。否定形式是"没（有）……着"，如：

A verb with the aspect particle 着 may function as an adverbial adjunct indicating the manner in which the action expressed by the following verb is performed. The negative form is 没（有）…着, e. g.

S	V	着	O	V	O

你　坐着　　说。
她　笑着　　说。
他　喝着　茶　看　电视。

● 介词"给"的用法举例：

Usage of the preposition 给, e. g.

S	给	O	V	O

你　给　我　打　电话。
我　给　他　开　点儿药。
你　给　孩子 喝　开水。

● 语气助词 "吧" 一种用法是表示请求、命令和商量的语气；一种用法是表示对不肯定的状态的询问。如：

When used at the end of a sentence expressing request, command, consultation or agreement, the modal particle 吧 soften the tone of the sentence. Another usage of 吧 is to express an interrogative tone of a guess, e. g.

我们去教室吧！
好吧！
你是留学生吧？

70

● **选择正确的位置**　Choose a correct position:

1. 妈妈 A 跟我说："要是你 B 不舒服，就 C 去学校 D 上课了。"

　　　　　　别

2. 我父亲喜欢 A 喝 B 茶 C 看 D 电视。

　　　　　　着

3. 在中国 A 留学的时候，B 他经常 C 他女朋友 D 打电话。

　　　　　　给

4. 我跟 A 大夫说 B："我 C 肚子 D 舒服。"

　　　　　　不

● **选择正确的答案**　Choose a correct answer :

1. 他看我不会说汉语，就问我："你是外国人_____？"

A.　呢

B.　啊

C.　吗

D.　吧

2. 已经晚上十点了，我跟同学们说："我们回家_____！"

A.　吗

B.　吧

C.　啊

D.　呢

3. 我问一个孩子："_____？"

A.　你多大了

B.　你多大岁数了

C.　您几岁了

D.　你几岁了

1	因	yīn	*because of; reason*			
2	为 [為]	wèi	*for*	因为	yīnwèi	*because*
		wéi	*be, do, act, become*	认为	rènwéi	*consider*
3	积 [積]	jī	*store up; long-standing*			
4	极 [極]	jí	*extreme; pole*	积极	jījí	*active, positive*
5	参 [參]	cān	*join*			
6	加	jiā	*add, increase*	参加	cānjiā	*join*
7	体 [體]	tǐ	*body*			
8	育	yù	*educate, rear*	体育	tǐyù	*sports*
9	锻 [鍛]	duàn	*forge*			
10	炼 [煉]	liàn	*smelt, refine*	锻炼	duànliàn	*have physical training*
11	冬	dōng	*winter*	冬天	dōngtiān	*winter*
12	滑	huá	*slide*			
13	冰	bīng	*ice*	滑冰	huábīng	*skating*
14	夏	xià	*summer*	夏天	xiàtiān	*summer*
15	河	hé	*river*	河里	héli	*in the river*
16	泳	yǒng	*swim*	游泳	yóuyǒng	*swim*
17	春	chūn	*spring*			
18	秋	qiū	*autumn*			
19	季	jì	*season*			
20	踢	tī	*kick, play*			
21	足	zú	*foot*			
22	球	qiú	*ball, globe*	足球	zúqiú	*football*
23	排	pái	*row; arrange*	排球	páiqiú	*volleyball*
24	进 [進]	jìn	*enter, advance*	进行	jìnxíng	*go on, be in progress*
25	赛 [賽]	sài	*match, game*	比赛	bǐsài	*match, competition*
26	所	suǒ	*place*	所以	suǒyǐ	*so, therefore*
27	身	shēn	*body*	身体	shēntǐ	*body*
28	越	yuè	*get over, overstep*	越来越	yuèláiyuè	*more and more*
29	健	jiàn	*healthy; strengthen*			
30	康	kāng	*health*	健康	jiànkāng	*healthy; health*

短句 因为他积极参加体育锻炼，冬天滑冰，夏天去河里游泳，春秋两季踢足球、打排球，进行比赛，所以身体越来越健康。

Yīnwèi tā jījí cānjiā tǐyù duànliàn, dōngtiān huábīng, xiàtiān qù hé li yóuyǒng, chūnqiū liǎng jì tī zúqiú, dǎ páiqiú, jìnxíng bǐsài, suǒyǐ shēntǐ yuèláiyuè jiànkāng.

繁體 因為他積極參加體育鍛煉，冬天滑冰，夏天去河里游泳，春秋兩季踢足球、打排球，進行比賽，所以身體越來越健康。

组 词		口 语
为了	for	◆ 你喜欢什么运动？
为什么	why	◇ 我喜欢打排球、踢足球。
认为	[rènwéi] consider	◆ 你会游泳吗？
以为	[yǐwéi] believe	◇ 我会游泳，夏天的时候我和爱人、孩子经常去游泳。
面积	area	
好极了	excellent	◆ 你游泳游得怎么样？
多极了	a great many	◇ 我游得还可以，我爱人游得比我还好。
漂亮极了	very beautiful	◆ 在北京，冬天可以滑冰吗？
参观	visit	◇ 十二月和一月可以滑冰，北京有不少冰场。
教育	education	◆ 冰鞋贵不贵？
教育部	Ministry of Education	◇ 不太贵，一般的三四百块钱一双，进口的一千多
冰鞋	skating boots	块钱一双。
冰场	skating rink	◆ 中国人喜欢看足球比赛吗？
一条河	a river	◇ 中国足球踢得不怎么样，可球迷多极了。
黄河	the Yellow River	◆ 中国人也喜欢看"世界杯"吗？
河北省	Hebei Province	◇ 喜欢。"世界杯"期间，有的球迷每场球都看。
季节	season	◆ 为什么中国人那么喜欢看足球？
春季	spring	◇ 这我没想过，可能是足球比电影好看吧。
夏季	summer	◆ 我想参观个足球场，不知中国足球场多不多？
秋季	autumn	◇ 不多。因为中国人多，地少，所以足球场没有外
冬季	winter	国那么多。不过，所有的大学和一些省、市的重
春天	spring	点中学都有足球场。为了让孩子们身体健康，学
秋天	autumn	校都有体育课。
前进	advance	◆ 我认为，这种作法不错，体育是教育的一部分。
进去	enter, go into	
进来	enter, come in	
进口	import	
足球赛	football match	
足球场	football ground	
球迷	(ball game) fan	
研究所	research institute	
所有的	all	

因	为	积	极	参	加	体	育	锻	炼
冬	滑	冰	夏	河	泳	春	秋	季	踢
足	球	排	进	赛	所	身	越	健	康

语　法　Grammar

● "越来越"的用法举例：
Usage of 越来越, e.g.

S	越来越	adj

我的身体　越来越　好。
他的身体　越来越　不好。
北京的东西　越来越　贵。
学习汉语的人　越来越　多。

S　O　V 得越来越 adj

她　汉语　说　得越来越　流利。
他　汉字　写　得越来越　好。
她　　长　得越来越　漂亮。

● "极了"的用法举例：
Usage of 极了, e.g.

S	adj	极了

中国的球迷　多　极了。
他的女朋友　高　极了。
这个电影　好看　极了。

S　O　V 得adj 极了

他　英语　说　得　好　极了。
他女朋友　　长　得漂亮　极了。

● 连词"因为……所以……"的用法举例：
Usage of the conjunctions 因为…所以…, e.g.

因为 sentence,	所以 sentence。

因为我经常锻炼身体，所以身体很健康。
因为中国人多，地少，所以足球场不太多。

● "为了"的用法举例：
Usage of 为了, e.g.

为了 V O ,	S V O

为了　让　孩子们身体健康，学校 都有 体育课。
为了 学习 汉语，　　　我　来到北京。

74

● **选择正确的位置**　Choose a correct position:

1. 现在 A 想 B 在中国工作的 C 人 D 多。

    越来越

2. 大家都说 A："B 昨天看的那个电影 C 好看 D。"

    极了

3. A 将来在北京工作，B 我 C 来这个大学 D 学习汉语。

    为了

4. A 他 B 不想去中国旅行，C 他 D 不会说中文。

    因为

● **选择正确的答案**　Choose a correct answer:

1. 他问我："你_____不坐出租汽车来呢？"

    A.　为了

    B.　怎么样

    C.　为什么

    D.　怎么

2. 他说："我女朋友英语说得比我还好。"也就是说，_____。

    A.　他英语说得比他女朋友好

    B.　他女朋友英语说得没有他好

    C.　他女朋友英语说得比他好

    D.　他女朋友英语说得不比他好

3. 来北京以前，我_____北京没有地铁呢。

    A.　认为

    B.　以为

    C.　想

    D.　看

1	刚 [剛]	gāng	*just*			
2	才 [纔]	cái	*just, only*	刚才	gāngcái	*just now*
3	广 [廣]	guǎng	*vast, wide; expand*			
4	播	bō	*broadcast, sow*	广播	guǎngbō	*broadcast*
5	气 [氣]	qì	*air, gas*			
6	象	xiàng	*appearance, elephant*	气象	qìxiàng	*meteorology*
7	预 [預]	yù	*in advance*			
8	报 [報]	bào	*report; newspaper*	预报	yùbào	*forecast*
9	寒	hán	*cold*	寒流	hánliú	*cold current*
10	快	kuài	*fast, quick, rapid*			
11	晨	chén	*morning*	明晨	míngchén	*tomorrow morning*
12	雨	yǔ	*rain*			
13	雪	xuě	*snow*			
14	风 [風]	fēng	*wind*			
15	向	xiàng	*direction*			
16	偏	piān	*leaning, slanting*			
17	南	nán	*south*	偏南	piānnán	*to the south*
18	低	dī	*low*			
19	温	wēn	*temperature; warm*			
20	度	dù	*degree*	温度	wēndù	*temperature*
21	零	líng	*zero*	零下	língxià	*below zero*
22	夜	yè	*night*	夜间	yèjiān	*at night*
23	阴 [陰]	yīn	*overcast*			
24	转 [轉]	zhuǎn	*transfer, change*			
25	晴	qíng	*clear, fine*			
26	云 [雲]	yún	*cloud*			
27	刮	guā	*blow*	刮风	guāfēng	*it's blowing*
28	力	lì	*power, force*	风力	fēnglì	*wind power*
29	变 [變]	biàn	*become different, change*			
30	约 [約]	yuē	*about; make an appointment*			

短句 刚才广播气象预报：寒流快到了，明晨有雨加雪，风向偏南，最低温度零下五度。夜间阴转晴，多云，刮北风，风力变小约四级。

Gāngcái guǎngbō qìxiàngyùbào: Hánliú kuài dào le, míngchén yǒu yǔ jiā xuě, fēngxiàng piān nán, zuì dī wēndù língxià wǔ dù. Yèjiān yīn zhuǎn qíng, duō yún, guā běifēng, fēnglì biàn xiǎo yuē sì jí.

繁體 剛纔廣播氣象預報：寒流快到了，明晨有雨加雪，風向偏南，最低溫度零下三度。夜間陰轉晴，多雲，刮北風，風力變小約四級。

组 词		口 语
天气	weather	◆ 今天天气怎么样？
生气	get angry	◇ 今天是阴天，有寒流，刮西北风，天气冷极了。
气候	climate	◆ 今天的气温是多少度？
现象	phenomenon	◇ 最高气温是零上八度，最低气温是零下五度。
预习	prepare lessons	◆ 明天下不下雪？
报名	sign up	◇ 下雪，天气预报说：明天有小雪。
报道	report (news)	◆ 你刚才看电视台的天气预报了吧？
日报	daily paper	◇ 没有，我看北京晚报了，是报上说的。
晚报	evening paper	◆ 要是下大雪就好了，可以到山上滑雪去。
看报	read a newspaper	◇ 在北京不能滑雪，去东北可以。
广播员	broadcaster	◆ 北京的冬天可真够冷的。不知道夏天怎么样？
凉快	nice and cool	◇ 北京的夏天特别热，有时候最高气温能到四十
早晨	morning	度。夜里和阴天的时候凉快一点儿。
下雨	rain	◆ 北京几月份常常下雨？
下雪	snow	◇ 七八月份。
滑雪	ski	◆ 一年中北京哪个季节最好。
方向	direction	◇ 一年四季，我认为秋天最好。北京的秋天不冷
体温	(body) temperature	也不热，经常是晴天。可是秋天时间不长，就
零度	zero	两个多月。这个季节来北京旅行的人最多。
零上	above zero	◆ 北京的春天有什么特点？
夜晚	night	◇ 北京的春天和秋天一样，时间都不长。春天的
夜里	at night	时候北京常常刮大风。一不注意，就着凉。
高度	altitude	◆ 春天的时候，北京的花儿多不多？
阴天	cloudy day	◇ 不少，春天的时候，北京黄色的花最多。
晴天	fine day	◆ 在中国，南方的气候和北方差别大不大？
南方	south	◇ 差别比较大。北方还下着雪呢，南方有的地方
风格	style	花儿都开了。
风度	demeanor	
风貌	view, scene	
力气	physical strength	
能力	ability	
变化	change	
约会	appointment	

刚	才	气	象	预	报	广	播	寒	快
晨	雨	雪	风	向	偏	南	低	温	度
零	夜	阴	转	晴	云	刮	力	变	约

语　法　Grammar

- "刚才"的用法，如：

  Usage of 刚才, e.g.

T	S	T	V	O

  你　刚才　听　天气预报了吧?

  刚才　他　　　　在　这儿，现在去商店了。

- "快……了"表示动作很快要发生。如：

  快…了 indicate that an action will soon take place, e.g.

S	快	V	O	了

  寒流　　快　到北京了。

- 把两个相临的数目联系在一起，可以表示概数。如：

  Two successive numerals are often used to give an approximate number, e.g.

  七八月份

  五六个人

  两三个小时

  十八九岁

- "不……也不……"用法举例：

  Usage of 不…也不…, e.g.

不	adj	也不	adj

  天气不　冷　也不　热。

  这个地方不　大　也不　小。

  我的钱不　多　也不　少。

- "都"有时表示已经的意思。如：

  Sometimes 都 means "already", e.g.

  北方还下着雪呢，南方花儿都开了。

  现在都十点了，他还没来。

  他的孩子都二十五岁了。

- "就"有时表示"只"的意思。如：

  Sometimes 就 means "only", e.g.

  秋天时间不长，就两个多月。

  我就有十块钱。

  他就会说英语。

78

● **选择正确的位置**　Choose a correct position:

1. A 他 B 在这儿 C，现在不知道 D 他去哪儿了。

　　　　　刚才

2. A 十一点半了，B 他们 C 怎么还不 D 回来。

　　　　都

3. A 这本书太贵，我 B 买不起，C 我 D 有十块钱。

　　　　就

4. A 七点五十了，B 我们 C 上课 D 了。

　　　　快

● **选择正确的答案**　Choose a correct answer:

1. 我的一位老同学昨天_____到北京。

    A. 刚

    B. 刚才

    C. 一会儿

    D. 才

2. 经常来北京的人都说："北京的_____太快了。"

    A. 变

    B. 有变化

    C. 转

    D. 变化

3. 今天来的_____有四五十人。

    A. 差一点儿

    B. 差不多

    C. 约

    D. 大约

1	某		mǒu	certain			
2	计 [計]		jì	count, compute; metre			
3	算		suàn	calculate, compute			
4	机 [機]		jī	machine, crucial point, occasion	计算机	jìsuànjī	computer
5	司		sī	take charge of; attend to	公司	gōngsī	company
6	离 [離]		lí	off, away, from; leave			
7	首		shǒu	head	首都	shǒudū	capital (of a country)
8	展		zhǎn	open up; exhibition			
9	览 [覽]		lǎn	look at, see	展览	zhǎnlǎn	exhibition
10	馆 [館]		guǎn	accommodation for guests	展览馆	zhǎnlǎnguǎn	exhibition hall
11	远 [遠]		yuǎn	far, distant			
12	圆 [圓]		yuán	circular; circle			
13	园 [園]		yuán	a place for public recreation	圆明园	Yuánmíngyuán	Yuanmingyuan Park
14	附		fù	be near; attach	附近	fùjìn	nearby
15	周		zhōu	circuit, week; thoughtful			
16	围 [圍]		wéi	around	周围	zhōuwéi	around
17	许 [許]		xǔ	maybe	许多	xǔduō	many
18	棵		kē	(a measure word)			
19	树 [樹]		shù	tree			
20	正		zhèng	straight, upright			
21	对 [對]		duì	opposite, right; treat	对面	duìmiàn	opposite
22	座		zuò	seat; (a measure word)			
23	楼 [樓]		lóu	a storied building			
24	房		fáng	house, room	楼房	lóufáng	building
25	旁		páng	side			
26	边 [邊]		biān	side, edge, border	旁边	pángbiān	side
27	火		huǒ	fire	火车	huǒchē	train
28	站		zhàn	stand; station	火车站	huǒchēzhàn	railway station
29	存		cún	leave with, exist, be in stock			
30	处 [處]		chù	place, office, department	存车处	cúnchēchù	bicycle parking lot

短句 某计算机公司离首都展览馆很远，在圆明园附近，周围有许多棵树，正对面有一座楼房，旁边是火车站和存车处。

Mǒu jìsuànjī gōngsī lí shǒudū zhǎnlǎnguǎn hěn yuǎn, zài Yuánmíngyuán fùjìn, zhōuwéi yǒu xǔduō kē shù, zhèng duìmiàn yǒu yí zuò lóufáng, pángbiān shì huǒchēzhàn hé cúnchēchù.

繁體 某計算機公司離首都展覽館很遠，在圓明園附近，周圍有許多棵樹，正對面有一座樓房，旁邊是火車站和存車處。

组 词		口 语
打算	plan	◆ 你是司机吧?
司机	driver	◇ 是啊,你去哪儿?
机会	opportunity	◆ 我去圆明园,在那儿我有个约会。
首先	first	◇ 上车吧,我正好要去那个方向。
发展	develop	◆ 圆明园离北京大学远不远?
游览	to tour	◇ 不远,很近,圆明园就在北大旁边。
图书馆	library	◆ 你知道北京图书馆在哪儿吗?
饭馆	restaurant	◇ 知道,北京图书馆在北京动物园西边。
离开	leave	◆ 北京展览馆在什么地方?
公园	park	◇ 北京展览馆在动物园东边。
也许	perhaps	◆ 北京饭店是不是在北京火车站西边?
正在	in process of	◇ 对,没错。
正常	normal	◆ 火车站附近有没有饭馆?
正好	just right	◇ 有,多极了。火车站附近到处是饭馆。
正式	formal, official	◆ 北京火车站旁边有地铁吗?
正确	correct, right	◇ 有,火车站对面就是地铁站。
对象	boy or girl friend	◆ 北海公园是不是在市中心?
座位	seat, place	◇ 差不多,北海公园离市中心不太远。
房子	house	◆ 坐公共汽车能不能到北海公园?
房间	room	◇ 可以,北海公园门口就是汽车站。
东边	the east	◆ 我打算明天去游览北海公园,您看怎么坐车?
西边	the west	◇ 您首先坐地铁,坐两站,在西直门下车,然后
南边	the south	再坐公共汽车,在北海公园下车。你看,这是
北边	the north	北京游览图,下边这个公园就是北海公园。北
里边	inside	海公园在一个教堂和一座小山中间。
外边	outside	
前边	in front	
后边	behind	
上边	above, over	
下边	below, under	
汽车站	bus stop	
地铁站	subway station	
到处	everywhere	

某	计	算	机	司	离	首	展	览	馆
远	圆	园	附	周	围	许	棵	树	正
对	座	楼	房	旁	边	火	站	存	处

81

语 法　　Grammar

● 方位词可以作主语、宾语、定语，也可以被定语修饰。如：

Position words may serve as the subject, an object, and an attributive of a sentence, and be qualified by an attributive, e. g.

前边有很多人。
商店在对面。
对面的楼是图书馆。
大学东边是商场。

● 动词"在"表示存在，这种句子的主语通常是存在的人或事物，宾语是表示方位和处所的名词，如：

In a sentence with 在 indicating existence, the subject is usually a person or thing concerned and the object is usually a noun denoting position or place, e. g.

S	V	position words
北京图书馆	在	动物园　　西边。
火车站	在	北京饭店　东边。

● 用"有"表示存在的句子，句子主语通常是表示方位、处所的名词，宾语是存在的人或物，如：

In a sentence with 有 indicating existence, the subject is usually a noun denoting position or place and the object is the person or thing concerned, e. g.

Position words	V	O
火车站　旁边	有	地铁吗？
大学　附近	有	饭馆吗？
学校　南边	有	一个商店。

● 用"是"表示存在的句子和"有"字句词序一样，如：

The verb 是 can indicate existence as well. The order of a 是-sentence is exactly the same as that of a 有-sentence, e. g.

Position words	V	O
火车站　对面	是	地铁站。
饭店　前边	是	停车场。

● 介词"离"的用法举例：

Usage of the preposition 离, e. g.

A	离	B	远（近）
某计算机公司	离	首都展览馆	很远。
火车站	离	北京饭店	不远。
大学	离	商店	很近。

● **选择正确的位置**　Choose a correct position:

1. A 火车站 B 北京饭店 C 不 D 太远。

   　　　　　　　离

2. A 北京图书馆 B 在 C 动物园 D。

   　　　　　　西边

3. A 你 B 去商店 C 买点儿东西 D,然后再回家。

   　　　　　首先

4. 公共 A 汽车站在 B 商店 C 医院 D 中间。

   　　　　　和

● **选择正确的答案**　Choose a correct answer:

1. 图书馆在体育馆西边，展览馆在体育馆东边，体育馆在图书馆＿＿＿＿＿。

   A.　南边

   B.　北边

   C.　东边

   D.　西边

2. 我们学院离地铁站不太远。地铁站在学院＿＿＿＿＿。

   A.　前边

   B.　周围

   C.　旁边

   D.　附近

3. 大学周围到处是商店。大学旁边有商店吗?

   A.　有

   B.　没有

   C.　可能有

   D.　有一个商店

1	宿	sù	*lodge for the night*				
2	舍	shè	*house, shed, hut*	宿舍	sùshè	*dormitory, hostel*	
3	内	nèi	*inside*				
4	净	jìng	*clean*	干净	gānjìng	*clean*	
5	屋	wū	*house, room*	屋子	wūzi	*room*	
6	墙 [牆]	qiáng	*wall*	墙上	qiángshang	*on the wall*	
7	挂	guà	*hang*				
8	满 [滿]	mǎn	*full, packed*				
9	著	zhù	*write; marked*	著名	zhùmíng	*famous, celebrated*	
10	油	yóu	*oil*				
11	画 [畫]	huà	*painting; to paint*	油画	yóuhuà	*oil painting*	
12	桌	zhuō	*table*	桌上	zhuōshang	*on the table*	
13	旧 [舊]	jiù	*old, used*				
14	言	yán	*speech, word*	语言学	yǔyánxué	*linguistics*	
15	典	diǎn	*standard*	词典	cídiǎn	*dictionary*	
16	把	bǎ	*(a measure word; a preposition)*				
17	躺	tǎng	*lie down*				
18	椅	yǐ	*chair*	躺椅	tǎngyǐ	*deck chair, lazy chair*	
19	摆 [擺]	bǎi	*arrange*				
20	整	zhěng	*tidy, whole*				
21	齐 [齊]	qí	*neat; together*	整齐	zhěngqí	*neat*	
22	窗	chuāng	*window*				
23	户	hù	*door, household*	窗户	chuānghu	*window*	
24	架	jià	*shelf, frame*	书架	shūjià	*bookshelf*	
25	放	fàng	*put on*				
26	套	tào	*(a measure word)*				
27	胡	hú	*(a surname); recklessly*				
28	适 [適]	shì	*fit, suitable*	胡适	Hú Shì	*(a person's name)*	
29	全	quán	*complete*				
30	集	jí	*collect, gather*	全集	quánjí	*complete works*	

短句 宿舍内挺干净，屋子墙上挂满了著名的油画，桌上有本旧语言学词典，两把躺椅摆得很整齐，窗户旁的书架上放着一套胡适全集。

Sùshè nèi tǐng gānjìng, wūzi qiáng shang guàmǎnle zhùmíng de yóuhuà, zhuō shang yǒu běn jiù yǔyánxué cídiǎn, liǎng bǎ tǎngyǐ bǎi de hěn zhěngqí, chuānghu páng de shūjià shang fàngzhe yí tào Hú Shì Quánjí.

繁體 宿舍內挺干净，屋子牆上挂滿了著名的油畫，桌上有本舊語言學詞典，兩把躺椅擺得很整齊，窗戶旁的書架上放著一套胡適全集。

组　词		口　语
国内	internal	
内部	inside, interior	
挂号	register	
满意	satisfied	
著作	writings, work	
名著	famous book	
花生油	peanut oil	
汽油	petroleum	
画儿	picture	
画画儿	draw a picture	
画家	painter	
画报	pictorial	
国画	Chinese painting	
旧东西	used or old things	
语言	language	
字典	dictionary	
汉语词典	Chinese dictionary	
英汉词典	英语汉语词典	
典礼	ceremony	
躺着	lying	
椅子	chair	
桌子	table	
整个	whole, entire	
一齐	in unison	
放心	be at ease	
胡同儿	lane, alley	
胡子	beard	
全体	all, everyone	
全面	overall	
全国	whole country	
百科全书	encyclopedia	
集中	concentrate	
集体	collective	

口　语

◆ 你认识这个画家吗?

◇ 认识,他叫张大千,我还去过他的家呢。

◆ 他住在哪儿?

◇ 他住在钟楼南边的一条胡同儿里。

◆ 他对他的房子满意吗?

◇ 比较满意。他住的是老式的房子,房子有点儿旧,不过,房间比较大。他有一个大画室。

◆ 他的画室你进去过吗?

◇ 进去过。墙上挂着许多画儿,都是国画,有人物画,也有山水画。屋子中间有一个大桌子,桌子上放着很多毛笔。桌子前边有一把椅子。他有时候坐着画画儿,有时候站着画画儿。

◆ 他会几国语言?

◇ 据说,他在日本留过学。我看见他的书架上放着几本日文画报和一套英文的百科全书,还有日汉词典和英汉词典。看来,可能他会日语和英语。他特别喜欢旧东西,他有一本中国古代的名著,书皮黄黄的。这点,他跟法国人有点儿一样。法国人来北京总是喜欢去看老北京的胡同儿。有一天,他笑着跟我说:"一般中国人都比较喜欢新的东西。我的这本古书差点儿就让我爱人给烧了。"

◆ 他在生活上还有什么特点?

◇ 他留胡子,他的胡子又长又白,很有风度。他喜欢喝着茶看报。他总是喝绿茶。

宿	舍	内	净	屋	墙	挂	满	著	油
画	桌	旧	言	典	把	躺	椅	摆	整
齐	架	窗	户	放	套	胡	适	全	集

语　法　Grammar

● 在存现句中,动词后带动态助词"着",表示事物存在的方式,如:

A verb with the aspect particle 着 may indicate the mode of existence, e. g.

S	V 着	O

前面　　　站着　一个人。
屋子墙上　　挂着　许多画儿。
屋子墙上 没 挂着 许多画儿。
书架上　　　放着　很多书。

● 动词"在"在动词后做结果补语,如:

The verb 在 may function as a compliment of result after a verb, e. g.

S	Vv	O

他　住在　　北京。
她　坐在　　椅子上。

● 意义上的被动句,如:

Notional passive sentence, e. g.

O	V

两把躺椅　　摆得很整齐。
东西　　准备好了。
油画　　挂在这儿。

● 一些动词后常用"去""来"作补语表示动作的趋向,如:

去 or 来 are often used after certain verbs to show the direction of a movement, e. g.

S	V 去/来

他　进去了。　(If the movement proceeds away from the speaker, 去 is used)
他　进来了。　(If the movement proceeds toward the speaker, 来 is used)
他　出去了。
他　出来了。
他　上去了。
他　上来了。
他　下去了。
他　下来了。
他　回去了。
他　回来了。

● **选择正确的位置**　Choose a correct position:

1. 桌子上 A 放 B 两本书和几本要 C 看 D 的杂志。
　　　　　　　　　着

2. 我到 A 家的时候,爸爸正 B 坐 C 看 D 报呢。
　　　　　　　　　着

3. 他 A 新 B 买的 C 桌子 D 非常满意。
　　　　　　　　对

4. 每天 A 他 B 骑自行车 C 回家 D。
　　　　　　总是

● **选择正确的答案**　Choose a correct answer:

1. 昨天我买了一_____椅子。

　　A.　个

　　B.　张

　　C.　把

　　D.　条

2. 今天我们参观了一_____胡同儿。

　　A.　套

　　B.　个

　　C.　条

　　D.　张

3. 书架上放着一_____英文的百科全书。

　　A.　个

　　B.　本

　　C.　套

　　D.　条

1	邮 [郵]	yóu	post, mail			
2	局	jú	office, situation	邮局	yóujú	post office
3	营 [營]	yíng	operate	营业员	yíngyèyuán	shop employee
4	觉 [覺]	jué	feel	觉得	juéde	feel
		jiào	sleep			
5	航	háng	boat, ship; navigate	航空	hángkōng	aviation
6	信	xìn	letter, faith, sign			
7	封	fēng	seal; envelope; (a measure word)	信封	xìnfēng	envelope
8	但	dàn	but	不但	búdàn	not only
9	奇	qí	strange			
10	怪	guài	strange	奇怪	qíguài	strange
11	而	ér	but, and			
12	且	qiě	just, even	而且	érqiě	and, also, too
13	使	shǐ	make, use, employ, send	使人	shǐ rén	enable someone to
14	清	qīng	clear			
15	楚	chǔ	clear	清楚	qīngchu	clear
16	告	gào	tell, declare			
17	诉 [訴]	sù	tell	告诉	gàosù	tell
18	右	yòu	the right			
19	角	jiǎo	corner, angle, (a unit of money in China: 0. 1 yuan)			
20	应 [應]	yīng	should, answer			
		yìng	comply with			
21	该 [該]	gāi	should	应该	yīnggāi	should
22	只	zhǐ	only			
23	寄	jì	send, post, depend on	寄信人	jìxìnrén	sender
24	址	zhǐ	address, location	地址	dìzhǐ	address
25	左	zuǒ	the left	左边	zuǒbian	the left side
26	绝 [絕]	jué	absolute			
27	乱 [亂]	luàn	at random, in disorder			
28	贴 [貼]	tiē	stick, paste			
29	纪 [紀]	jì	epoch, record	纪念	jìniàn	commemorate, souvenir
30	票	piào	ticket	邮票	yóupiào	stamp

短句 邮局营业员觉得他的航空信封写得不但奇怪，而且使人看不清楚，告诉他，右下角应该只写寄信人地址，左边绝不能乱贴纪念邮票。

Yóujú yíngyèyuán juéde tā de hángkōng xìnfēng xiě de búdàn qíguài, érqiě shǐ rén kàn bù qīngchu, gàosu tā, yòuxiàjiǎo yīnggāi zhǐ xiě jìxìnrén dìzhǐ, zuǒbian jué bù néng luàn tiē jìniàn yóupiào.

繁體 郵局營業員覺得他的航空信封寫得不但奇怪，而且使人看不清楚，告訴他，右下角應該只寫寄信人地址，左邊絕不能亂貼紀念郵票。

组　词		口　语

组词

教育局	Education Bureau
工商局	Commercial Bureau
经营	engage in trade
感觉	sense perception; feel
视觉	visual sense
听觉	sense of hearing
民航	civil aviation
航班	scheduled flight
挂号信	registered letter
相信	believe in
信心	confidence
但是	but
新奇	strange
使用	use, employ
大使	ambassador
大使馆	embassy
广告	advertisement
告别	bid farewell to
报告	report
应当	should
应用	[yìngyòng] apply, use
反应	[fǎnyìng] reaction
右边	the right side
右面	the right side
左面	the left side
左右	about
角度	angle, point of view
只有	only, alone
绝对	absolute
火车票	train ticket
电影票	film ticket
汽车票	bus ticket

口语

在 邮 局

◆ 老先生，这儿附近有邮局吗?

◇ 有，教育局左边的那个房子就是。

◆ 小姐，来套纪念邮票。我给在美国的中国大使馆寄封航空挂号信，应该贴多少钱的邮票?

★ 十五块左右。在这个单子上写上收信人的姓名和地址，在这儿写寄信人的姓名和地址。

◆ 小姐，在国内寄一封信，要贴多少钱的邮票?

★ 贴八毛的邮票。注意应当使用正式的信封。

在 电 影 院

◆ 小姐，是在这儿卖电影票吗?

★ 对，您要几张? 要前排的还是后排的?

◆ 我眼睛不好，要两张前排的吧。电影几点开始?

★ 八点半，现在就可以进场了。

◆ 广告上介绍，这是一部表现现代中国人日常生活的影片，影片的角度比较新奇，看过的人反应不错。我想你绝对会喜欢这个电影的。

◇ 别老相信广告上说的。我觉得中国的电影有好的; 但是，我的感觉是，大部分影片所反映的不像是目前中国人的想法。

◆ 这家电影院经营得不错。你看，来看电影的人真不少。

邮	局	营	觉	航	信	封	但	奇	怪
而	且	使	清	楚	告	诉	右	角	应
该	只	寄	址	左	绝	乱	贴	纪	票

语　法　　Grammar

● 结构助词"所"在动词前来修饰名词，此时动词后用"的"，如：
The particle 所 is used before a verb followed by 的 to modify a noun, e. g.

S 所 V 的 N

他 所 说　的　话　　是真的。

我 所 买　的　东西　很好。

● 结构助词"所"在动词前,后边加"的"相当于一个名词，如：
The particle 所 can also be used before a verb followed by 的 as a noun, e. g.

S 所 V 的

你 所 看到 的　是一部分。

大部分影片 所 反映 的　不像是目前中国人的想法。

● 连词"不但……而且……"的用法举例。
The conjunction 不但…而且… is used to link two progression statements, e. g.

他的信封不但写得奇怪，而且使人看不清楚。

他不但会说英语，而且会说汉语。

● 动词"使"常用于兼语句中的第一个动词，如：
The verb 使 is used as the first verb in pivotal sentences. The pivotal sentence has the following grammatical structure:

S　　V　O　V　　O

他的信封　使 人　看不清楚。

他的话　使 我　明白了。

因为他的帮助　使 我　买到了这本书。

● 动词"告诉"的用法，如：
Usage of the verb 告诉, e. g.

S　V　O　O

他　告诉我　他的名字。

他没告诉我　他的地址。

S　V　O　(sentence)

营业员　告诉他，右下角应该只写寄信人地址。

他　告诉我，明天他去医院。

● **选择正确的位置**　Choose a correct position:

1. A 你 B 知道 C 的地方我 D 都去过。

所

2. A 这本书 B 我 C 明白了 D 很多问题。

使

3. A 那个营业员 B 会 C 说 D 汉语。

只

4. 星期天 A 他 B 去 C 看 D 电影。

老

● **选择正确的答案**　Choose a correct answer:

1. 那 _____ 纪念邮票有四张。

A.　张

B.　个

C.　套

D.　块

2. 我想买两 _____ 去上海的火车票。

A.　套

B.　个

C.　条

D.　张

3. 老师 _____ 我们明天不上课。

A.　说

B.　讲

C.　告诉

D.　通知

民进中央名誉主席、中国作协名誉主席

著名作家冰心在京逝世

新华社北京2月28日电（记者曲志红、孙勇）备受人们尊敬和爱戴的文坛世纪老人冰心，今天晚上21时因病不治在京与世长辞，享年99岁。

冰心在五四时期投入新文化运动，是我国现代和当代文坛上具有重要影响的文学大师。她的创作充满对人民的同情，对封建社会的愤懑和对美好人生的追求。她的《寄小读者》、《小桔灯》、《樱花赞》、《再寄小读者》等脍炙人口的作品，影响了几代读者。她为中国儿童文学的发展做出了杰出的贡献。

与世纪同龄的冰心，在晚年创造了自己文学生涯的新高潮，尤其是在她85岁至93岁之间，她连续发表了《空巢》、《万般皆上品》、《关于男人》等大量作品，其水准之高、分量之重令人瞩目。

冰心的纯真、犀利、坚定、勇敢和正直，使她在国内外广大读者中享有崇高的威望，受到普通的爱戴。她的创作正如她说的："我希望人民生活得更好。"

冰心逝世前担任民进中央名誉主席、中国作协名誉主席。

Writer treasured for love

By Hu Qihua

NINETY-NINE years ago, a beautiful triplet lotus flower on a stalk blossomed in the garden of a high-ranking naval family in Fuzhou in East China's Fujian Province.

The grandfather said it was an auspicious sign.

In the same year, a girl was born into this family. Naturally, she became a cause of concern for every family member.

Likening herself to a delicate "lotus flower" under the protection of her mother — an extended "lotus leaf," as she wrote 19 years later in a preface to her prose collection, Xie Wanying, known to readers as Bing Xin, took up the pen as her career. She first sought to console and cheer up young readers, but, in her last 19 years, to fight as a brave soldier.

When she left the world for her long-cherished lotus land on Sunday at the age of 99, she was mourned as a beloved writer and prominent children's novelist. Her books have been widely used in primary schools for generations. They include "For Small Readers," "Little Tangerine Lamp," and "Ode to a Cherry Blossom."

"Walking on the long road of life, with love on the right and sympathy on the left, is just like blossoming and seeding. Travellers on such a scented journey will neither feel pain when stepping on brambles nor taste grief when shedding tears."

The previous words were written when Bing Xin was asked to write an inscription for an exhibition of her collection of paintings and calligraphy in 1994.

Love and sympathy

"It is her motto of literary creation and exemplifies her philosophy of life," said Zhuo Ru, the author of a biography of Bing Xin.

Readers of different ages are easily moved by the strong sense of tenderheartedness, love and sympathy in Bing Xin's novels, prose and poems.

No one can tell how many children, children's children or even children's children's children have read her "For Small Readers" or "For Small Readers Again" without being deeply touched by her earnest teachings and sincere consolation.

In her explanation, Bing Xin said the two works have different styles both in content and form.

She finished the first one, which is considered an introductory work of Chinese children's literature, at the time of parting from her home and motherland. The reportage describes her understanding of the early period in her life, her longing for exotic lands and her tenderness and sympathy for her family and nation.

The latter, which she finished 30 years later, reflects her deep love of family, nature and nation.

"During that period, in the 1950s and 60s, when exaggeration, political slogans and class struggle filled the literature, Bing Xin continued to write in her simple and truthful style, demonstrating to readers a most common, but treasured human sympathy. She brought to children the truth of society," said Wang Binggen, secretary of the Bing Xin Research Institute.

Widely distributed in China and abroad, Bing Xin's works have drawn readers all over the world.

Today, the China Modern Literature Archives (CMLA) possesses thousands of letters from her readers, who, children and parents alike, talked about their goals, their studies and their educations while asking Bing Xin for advice.

"Her broad sense of love and sympathy for the family and nature, and love for the motherland has influenced generations of Chinese children," Zhou Ming, the vice-curator of CMLA, said in an article concerning the power of Bing Xin's two works.

Creative ideas

As an outstanding writer in the history of modern Chinese literature, Bing Xin maintained her pure and simple style throughout her life.

Unlike other writers of the same generation, such as Lu Xun, Ba Jin, Shen Congwen, and Ding Ling, who all smashed the bonds of feudal families and devoted themselves to fighting with blood and tears, Bing Xin did not have too much hard-life experience.

Born into a wealthy family, Bing Xin received a traditional education and enjoyed a warm family life.

Bing Xin showed early promise as a writer when she was only a child, and her creative ideas first came from her family, Bing Xin wrote in the preface to her "Ode to a Cherry Blossom."

"Mom is good at drawing materials from each detail in life," said Wu Qing, Bing Xin's daughter, an English professor at the Beijing Foreign Studies University. "It may be a gift she received or may be just a story she heard."

Although some critics attacked the limited themes and weak impulsive force of her works, more writers and researchers say Bing Xin captured those cruxes as well as the details.

Above all, she preserved her own individual expression and style.

From under her pen, a white cat ends up being "Appreciating Flowers versus Teasing Cat;" a hike develops into "The Cultivation of Children's Characters."

"Mom always paid close attention to the development of society," said Wu Qing, "but the form of expression she chose was always different from others. She preferred to choose themes which were familiar to ordinary people. That is absolutely not a narrow sense of a woman's feeling, but the most simple, unique and eternal theme in human life."

Life begins at 80

Bing Xin's first half of life, just like her works in that period, is like a delicate rose, fragrant and mild.

She was the first girl to attend school, middle school and a university in her family.

After graduating from Yanjing University in Beijing, she studied at Wellesley College in Massachussetts, United States, following in the steps of Madam Soong Ching-ling and her two sisters. She returned to China in 1926 after earning a master's degree in literature, but left again for Japan, where she lectured at Tokyo University from 1946-51.

She came back to settle in Beijing and continued her writing, mainly for children, but had to stop during the "cultural revolution (1966-76)," when almost everyone picked up a pen to write or criticize and condemn others or themselves.

She restarted her writing ca-

Portrait of Bing Xin in 1924.

reer formally in 1980 with the prose "My Hometown." Readers were surprised to find that Bing Xin's style had become more incisive. She was a new writer; no longer the old Bing Xin.

"That is just the qualifications a great writer should possess," said Shu Yi, a noted Chinese literary critic.

In her remaining years, Bing Xin wielded her pointed pen to expose or expound upon crucial social problems including reform in rural areas, the education of women and youth and the treatment given intellectuals.

Her language was no longer delicate; it was direct and straightforward.

Many incisive chapters are still vivid in the readers' memories. She pointed out in a 1987 essay that being a teacher is a job that contributes much, but gets little pay in today's society.

She sharply criticized those who ignore the education of farmers. "It is needless to discuss their future; they cannot even possess the present."

"Mom once joked that her life began at 80," said Wu Qing. "She was resolved to fight as a soldier."

Wu Qing also devotes herself to education in rural areas under her mother's influence.

Shu Yi said that is her lovely point, a stubborn old woman's loveliness.

"She is as hard as rock, and insists on the truth without any shaking," he said.

She was imbued with a sense of justice and a spirit of fearlessness; she dared to face reality.

The noted writer Ba Jin said: "She was like a lamp on my road. With her light, I feel powerful and not lonely."

Bing Xin's accomplishments and personality have set a role model for the young generation.

Wu Qing recalled: "I once asked mom why restart in her 80s. Her answer impressed me deeply: 'Forget whatever should be forgotten so that you can remember what should be remembered.'"

访 冰 心

冰心是中国现代著名女作家，全国人大代表。她姓谢，冰心是她的笔名，所以也有人叫她谢冰心。

冰心是南方人，1900年出生，上小学时就已经读了不少中国古代的文学作品。1914年她到北京一所教会女子中学读书。五四运动时她在北京上大学，参加了当时的学生运动。同时，她也开始写作小说和现代诗。1921年她参加了当时有名的"文学研究会"。1923年她到美国去留学。在美国，她一是研究文学，二是把在国外的见闻写出来，寄回国内发表，这就是后来的《寄小读者》一书。1926年冰心回国。回国后她在北京大学工作，教中国文学。1929年到1933年她写有小说《分》、《姑姑》等，同时还翻译了一些外国作家的作品。1945年冰心去日本。1949年到1951年她在东京大学教中国文学，1951年秋回国。1958年《人民日报》发表了她的《再寄小读者》。冰心不但是个文学家，而且还是个教育家。她非常爱孩子，爱祖国的后代，她用她的作品来教育孩子们。

在上中学三年级时我就读过她的早年诗作《春水》。她的诗写得很美，非常感人。后来，我一直喜欢看冰心的小说。我大学的毕业论文就是《论冰心小说的美学风格》。大学毕业后我到一家报社工作。今年夏天的一个上午，我有机会访问了这位还健在的老作家。那天是阴天，气温不高，下着小雨。早晨我起得特别早，穿了件浅蓝色的西服，坐公共汽车八点半就到了冰心家。

冰心家离市中心比较远，在新街口附近。她住的是北京一所老式的院子，院子里种了很多花儿。

冰心是在客厅里会见的我。客厅不大，很干净，墙上挂着一张山水画。客厅书架上放着许多书，有中文的，也有外文的。冰心一头白发，个子不高，瘦瘦的，看上去，不像是九十来岁的人。一见面，我先问候了一下她的身体。她说，她很少得病，有时候得了感冒，吃点儿中药就好了。我问她为什么还这么健康时，她说，就是经常锻炼身体。后来，她回答了我几个有关三十年代文学的问题。她一边喝茶，一边说。当她讲到当代文学时，我问她："现在还写东西吗？"她说："想写啊！就是眼睛不好了，写不动了。每天就是看看报和杂志什么的。"当我问她当年为什么去美国留学时，她问我："你出过国吗？"我说："没有。"她对我说："有机会要出去看看，在国外工作一两年。在国外生活过的人就知道什么是爱国了。"

那天回到家，我一直想着她说的那句话，"在国外生活过的人就知道什么是爱国了"。

1	金	jīn	*metal, money; golden*			
2	沙	shā	*sand*			
3	江	jiāng	*river*	金沙江	Jīnshājiāng	*Jinshajiang River*
4	飞 [飛]	fēi	*to fly; swiftly*	飞机场	fēijīchǎng	*airport*
5	托	tuō	*hold in the palm, entrust*	托运	tuōyùn	*to check, consign for*
6	完	wán	*finish, be over, end*			*shipment*
7	李	lǐ	*(a surname)*	行李	xíngli	*baggage, luggage*
8	继 [繼]	jì	*continue*			
9	续 [續]	xù	*continue, add*	继续	jìxù	*continue*
10	朝	cháo	*facing; dynasty*			
11	走	zǒu	*walk, go, leave*			
12	忽	hū	*suddenly; neglect*	忽然	hūrán	*suddenly*
13	停	tíng	*stop*	停住	tíngzhù	*stop*
14	脚	jiǎo	*foot*			
15	步	bù	*step*	脚步	jiǎobù	*pace*
16	第	dì	*(prefix)*			
17	次	cì	*time, order, second*	第一次	dì yī cì	*the first time*
18	握	wò	*hold, grasp*	握着	wòzhe	*hold in hand*
19	手	shǒu	*hand*			
20	轻 [輕]	qīng	*softly, light*			
21	声 [聲]	shēng	*voice*	轻声	qīngshēng	*in a soft voice*
22	希	xī	*hope*			
23	望	wàng	*hope, look over*	希望	xīwàng	*hope*
24	永	yǒng	*forever*	永远	yǒngyuǎn	*forever*
25	幸	xìng	*good fortune*			
26	福	fú	*happiness*	幸福	xìngfú	*happiness*
27	祝	zhù	*wish*			
28	路	lù	*road, journey*	一路	yílù	*all the way*
29	平	píng	*peaceful, flat, common*			
30	安	ān	*peaceful, safe*	平安	píng'ān	*safe and sound*

短句 在金沙江飞机场托运完行李，继续朝前走，忽然她停住脚步，第一次握着我的手轻声说："希望你永远幸福！祝你一路平安！"

Zài Jīnshājiāng fēijīchǎng tuōyùnwán xíngli, jìxù cháo qián zǒu, hūrán tā tíngzhù jiǎobù, dì yī cì wòzhe wǒ de shǒu qīngshēng shuō: "Xīwàng nǐ yǒngyuǎn xìngfú! Zhù nǐ yílù píng'ān!"

繁體 在金沙江飛機場托運完行李，繼續朝前走，忽然她停住脚步，第一次握着我的手輕聲説："希望你永遠幸福！祝你一路平安！"

组　词		口　语

<table>
<tr><td>美金</td><td>American dollar</td></tr>
<tr><td>金属</td><td>metal</td></tr>
<tr><td>长江</td><td>the Yangtze River</td></tr>
<tr><td>飞机</td><td>airplane</td></tr>
<tr><td>飞机票</td><td>air ticket</td></tr>
<tr><td>起飞</td><td>take off</td></tr>
<tr><td>写完</td><td>finish writing</td></tr>
<tr><td>说完</td><td>finish speaking</td></tr>
<tr><td>看得完</td><td>can finish reading</td></tr>
<tr><td>朝代</td><td>dynasty</td></tr>
<tr><td>走路</td><td>walk</td></tr>
<tr><td>停车场</td><td>parking lot</td></tr>
<tr><td>进步</td><td>progress</td></tr>
<tr><td>一次</td><td>one time</td></tr>
<tr><td>手续</td><td>formalities</td></tr>
<tr><td>手表</td><td>wrist watch</td></tr>
<tr><td>年轻</td><td>young</td></tr>
<tr><td>声音</td><td>sound</td></tr>
<tr><td>不幸</td><td>misfortune</td></tr>
<tr><td>福气</td><td>happy lot</td></tr>
<tr><td>路上</td><td>on the way</td></tr>
<tr><td>道路</td><td>road, way</td></tr>
<tr><td>公路</td><td>highway</td></tr>
<tr><td>迷路</td><td>lose one's way</td></tr>
<tr><td>水平</td><td>horizontal level</td></tr>
<tr><td>平静</td><td>calm, tranquil</td></tr>
<tr><td>平常</td><td>ordinary</td></tr>
<tr><td>平时</td><td>at ordinary times</td></tr>
<tr><td>安全</td><td>safe</td></tr>
<tr><td>安静</td><td>quiet</td></tr>
<tr><td>安排</td><td>arrange</td></tr>
<tr><td>西安市</td><td>Xi'an City</td></tr>
</table>

在飞机场

◆ 小姐，托运行李。

★ 给我你的飞机票。把行李放在这儿。你的行李超重了，多了两公斤。托运行李一个人最多可以托运二十公斤。下次注意啊！

◆ 好，谢谢啊！

◇ 托运完行李了吗？

◆ 托运完了。你把车停在哪儿了？

◇ 机场外边的停车场。到西安的飞机几点起飞？

◆ 九点十分，还有一个多小时呢。今天我们有福气，路上车不多，比平时早到了半个小时。去喝点儿什么吧。

◇ 我来杯热茶，你呢？

◆ 我来杯啤酒。

◇ 你去过几次西安了？

◆ 我去过三次了，这是第四次。我很喜欢西安，西安是中国古代几个朝代的首都，道路非常整齐，今天还看得出当年的风貌。这次我的朋友安排我去参观几个以前没去过的地方。

◇ 喝完没有？飞机快要起飞了！你该走了！下了飞机，你准备怎么去你朋友的家？

◆ 如果不远，我走着去或者坐四路公共汽车去。

◇ 路上要注意安全！回来以前给我打个电话。

金	沙	江	飞	托	完	李	继	续	朝
走	忽	停	脚	步	第	次	握	手	轻
声	希	望	永	幸	福	祝	路	平	安

语　法　Grammar

● 动词"完""住"作结果补语，如：

The verbs 完 and 住 may serve as resultative complement indicating the result of an action, e. g.

S	V	v	O
我	托运	完	行李了。
他	吃	完	饭了。
我还没	看	完	这本书。
他	停	住	脚步。

● 要强调说明动作对某事物如何处置以及处置的结果时常用"把"字句，在"把"字句里介词"把"和它的宾语必须放在主语之后、动词之前。如：

把-sentences are generally used to emphasize how a person does something to an object or to another person. In a 把-sentence, the preposition 把 and its object are always put after the subject and before the verb, e. g.

S	P O	V v O
他	把车	停在哪儿了？
他	把行李	放在这儿。
你	把名字	写在这儿。

● 动量词"次"和数词结合，放在动词后说明动作发生的次数。动词的宾语是名词，"次"在宾语之前；宾语是代词，"次"在宾语之后，如：

The verbal measure word 次 often goes with a numeral and is used after the verb to show the frequency of an action. When the object is expressed by a noun, 次 should be placed before the object. When it is expressed by a pronoun, 次 often comes after the object, e. g.

S	V	O	次	O
我	去过		三次	西安。
我	参观过		两次	这个大学。
我	见过	他	一次。	

● "第"是词头，在数词前加"第"表示序数，序数与名词连用时要有量词，如：

第, a prefix, can be used before a cardinal number to form an ordinal number. A measure word, however, should be inserted between the ordinal number and the noun, e. g.

第一次　第一天　第一年　第一个月　第一个星期　第一本书
我是第一次来北京。
第一天上课的时候，我们先学习发音。
这是我买的第一本书。

● **选择正确的位置**　Choose a correct position:

1. A 这本书 B 我们已经 C 学 D 了。

完

2. 老师 A 告诉的 B 地方 C 我都没记 D。

住

3. A 我 B 东西 C 放在 D 桌子上了。

把

4. 我是 A 二 B 次来这 C 个商店买 D 东西。

第

● **选择正确的答案**　Choose a correct answer:

1. 这个问题我问过老师三_____。

    A.　回

    B.　个

    C.　名

    D.　次

2. 下飞机以后他_____东边走去。

    A.　对

    B.　朝

    C.　向

    D.　给

3. 你应该坐三_____公共汽车回家。

    A.　次

    B.　号

    C.　路

    D.　个

1	何	hé	*(a surname); what*			
2	傅	fù	*teacher*	师傅	shīfu	*master worker*
3	做	zuò	*do*			
4	事	shì	*thing, affair, matter*			
5	马 [馬]	mǎ	*horse*			
6	虎	hǔ	*tiger*	马虎	mǎhu	*careless*
7	丢	diū	*lose, mislay, throw, cast*			
8	忘	wàng	*forget*			
9	请 [請]	qǐng	*ask, invite, please, request*			
10	提	tí	*carry in one's hand, lift, raise*			
11	包	bāo	*bag, wrap*	手提包	shǒutíbāo	*handbag*
12	护 [護]	hù	*protect*			
13	照	zhào	*shine, illuminate*	护照	hùzhào	*passport*
14	借	jiè	*borrow, lend*			
15	证 [證]	zhèng	*demonstrate, prove; card*	借书证	jièshūzhèng	*library card*
16	带 [帶]	dài	*bring*			
17	结 [結]	jié	*tie, knit, congeal; knot*	结果	jiéguǒ	*result*
18	却	què	*but, yet*			
19	其	qí	*his (her, its, their), he (she, it, they)*			
20	它	tā	*it*	其它	qítā	*other*
21	拿	ná	*hold, take*			
22	啦	la	*(a modal particle)*			
23	等	děng	*equal; wait; class*			
24	于	yú	*in, at*	等于	děngyú	*equal to*
25	倒	dào	*upside down, inverse*			
26	忙	máng	*busy*	帮倒忙	bāng dàománg	*be more of a hindrance than a help*
27	增	zēng	*increase, add, gain*			
28	添	tiān	*add, increase*	增添	zēngtiān	*add, increase*
29	麻	má	*flax; rough, pocked; tingle*			
30	烦 [煩]	fán	*be vexed, trouble*	麻烦	máfan	*troublesome; trouble*

短句

何师傅做事马虎，丢这忘那，请他把手提包里的护照和借书证带来，结果，他却把其它东西拿来啦，等于是帮倒忙，增添麻烦。

Hé shīfu zuò shì mǎhu, diū zhè wàng nà, qǐng tā bǎ shǒutíbāo lǐ de hùzhào hé jièshūzhèng dàilái, jiéguǒ, tā què bǎ qítā dōngxi nálai la, děngyú shì bāng dàománg, zēngtiān máfan.

繁體

何師傅做事馬虎，丟這忘那，請他把手提包裏的護照和借書證帶來，結果，他却把其它東西拿來啦，等于是幫倒忙，增添麻煩。

组 词		口 语
如何	how	◆ 请问，是在这儿买飞机票吗？
事儿	thing, affair	◇ 是的，你要去哪儿啊？
事业	career	◆ 明天有去上海的航班吗？
马上	at once	◇ 请等一下，我看看。有，是明天下午四点的。
老虎	tiger	◆ 我要一张。多少钱？
丢了	have lost	◇ 一千三百六十五块。把你的护照给我看看。
忘记	forget	◆ 护照我忘带来了，学生证和身份证可以吗？
请问	excuse me	◇ 学生证不行，身份证可以。
请求	ask, request	◆ 我看看身份证是不是在书包里。好，我带来了，
提问	put question to	给您我的身份证。
提前	move up (a date)	◇ 这不是身份证，是借书证。
提高	raise, heighten	◆ 对不起，我拿错了，这是身份证。
书包	satchel	◇ 你这人太马虎了。你是干什么事儿的，这么忙。
钱包	wallet	◆ 最近是有点儿忙。你看，吃饭的时间都没有，
面包	bread	这不，中午就在外边买两个包子吃。
包子	中国的食品	◇ 怎么照片不像你啊？这不是你的身份证吧？是跟
照相	to photograph	别人借的吧？
照相机	camera	◆ 真的是我的。这是我五年前照的照片。
照片	photo	◇ 谁能证明？下次再用这个身份证可不行啦！
借东西	borrow a thing	◆ 知道了，买完机票，我马上去照相。
学生证	student's card	◇ 给你机票，可别丢啦！
身份证	identity card	◆ 放心吧！丢不了。这回，我把机票放在钱包里。
证明	testify, prove	◇ 别忘了，上飞机的时候带上身份证，要提前一个
证书	certificate	小时到机场。
带东西	bring a thing	
结论	conclusion	
其中	among	
拿手	adept, good at	
等人	wait for sb.	
等等	and so on, etc.	
平等	equality	
增加	increase	

何	傅	做	事	马	虎	丢	忘	请	提
包	护	照	借	证	带	结	却	其	它
拿	啦	等	于	倒	忙	增	添	麻	烦

语 法　　Grammar

● "请"常用于兼语句的第一个动词，如：

请 is often used as the first verb in a pivotal sentence, e. g.

S V O	V （O）
他 请 我	喝 茶。
请 你	等 一下
我 请 他 把护照	带来。

● "来"和"去"可以放在某些表示动作的动词的后边表示人或事物的趋向，如：

来 and 去 can be used after some verbs to show the direction of a movement of a person or a thing, e. g.

S P O	V v O
他 把其它东西	拿来　啦。
他	拿去了 几本书。
我 没把护照	带来。
他 给朋友	带去了 很多东西。
他	买来了 三瓶啤酒。

● 动词"忘"的用法，如：

Usage of the verb 忘, e. g.

> 他的名字我忘了。
> 他的名字我没忘。
> 他的名字我忘不了。
> 我忘带护照了。
> 护照我忘带了。
> 名字我忘写了。

● "却"是个副词，常用于动词前表示转折，如：

The adverb 却 is often used before the verb to show a transition, e. g.

> 我请他把护照带来，他却把其它东西拿来啦。
> 学生们都知道了，可是老师却还不知道。

● 句尾语气词"啦"是语气助词"了"和"啊"的合音，如：

The modal particle 啦 is a fusion of the modal particles 了 and 啊, e. g.

> 你怎么来啦？
> 他回家啦！
> 他昨天去上海啦！
> 这个东西太贵啦！

100

● **选择正确的位置**　Choose a correct position:

1. 我 A 想 B 他 C 去饭馆 D 吃饭。

   请

2. 我朋友 A 从中国 B 给我 C 带 D 一本词典。

   来

3. 同学们 A 都知道，可是 B 老师 C 不 D 知道。

   却

4. 你 A 去 B 图书馆 C 的时候带 D 借书证。

   上

● **选择正确的答案**　Choose a correct answer:

1. 这个礼物你怎么给他_____！

   A. 吧

   B. 呢

   C. 吗

   D. 啦

2. 下课以后我_____回家。

   A. 快

   B. 就

   C. 马上

   D. 立刻

3. 五加四等于_____。

   A. 十

   B. 九

   C. 八

   D. 七

1	连 [連]	lián	*even; link, join, connect*				
2	县 [縣]	xiàn	*county*				
3	城	chéng	*city, town*	县城	xiànchéng	*county town*	
4	厂 [廠]	chǎng	*factory*	工厂	gōngchǎng	*factory*	
5	龄 [齡]	líng	*age, years*	大龄	dàlíng	*above the normal age for*	
6	未	wèi	*have not*			*marriage*	
7	婚	hūn	*marry; wedding*				
8	青	qīng	*young, green*	青年	qīngnián	*youth, young people*	
9	慢	màn	*slow*	慢慢	mànmàn	*slowly*	
10	解	jiě	*separate, solve, understand*	了解	liǎojiě	*understand*	
11	决	jué	*decide, determine*				
12	定	dìng	*fix, decide; surely*	决定	juédìng	*decide; decision*	
13	找	zhǎo	*look for*				
14	既	jì	*since, already*				
15	思	sī	*think*	有意思	yǒuyìsi	*interesting*	
16	累	lèi	*tired, fatigued; toil*				
17	职 [職]	zhí	*job, post, duty*	职业	zhíyè	*profession*	
18	并	bìng	*(used for emphasis), and*				
19	容	róng	*looks; permit*				
20	易	yì	*easy*	容易	róngyì	*easy*	
21	嫁	jià	*(of a woman) marry*				
22	材	cái	*timber, material, ability*	身材	shēncái	*stature, figure*	
23	矮	ǎi	*short, low*				
24	兴 [興]	xìng	*mood or desire to do sth.*				
		xīng	*prosper, rise, start*				
25	趣	qù	*interest*	兴趣	xìngqù	*interest*	
26	致	zhì	*send, incur*	一致	yízhì	*showing no difference*	
27	情	qíng	*feeling*	有情人	yǒuqíngrén	*lover*	
28	更	gèng	*more, still more*				
29	困	kùn	*be stranded*				
30	难 [難]	nán	*difficult, bad; hardly*	困难	kùnnan	*difficulty*	

短句 连县城工厂的大龄未婚青年慢慢也了解了：决定找个既有意思又不累的职业并不容易，嫁个身材不矮、兴趣一致的有情人更困难。

Lián xiànchéng gōngchǎng de dàlíng wèihūn qīngnián mànmàn yě liǎojiě le：Juédìng zhǎo gè jì yǒuyìsi yòu bú lèi de zhíyè bìng bù róngyì, jià gè shēncái bù ǎi, xìngqù yízhì de yǒuqíngrén gèng kùnnan.

繁體 連縣城工廠的大齡未婚青年慢慢也瞭解了：決定找個既有意思又不累的職業并不容易，嫁個身材不矮、興趣一致的有情人更困難。

组 词		口 语
城市	city	◆ 你老是不怎么高兴，好像心情不太好。你结婚了吗？
长城	the Great Wall	
年龄	age	◇ 还没呢。找对象真是太难了。
未来	future	◆ 结婚是人生最重要的事情之一，你的年龄不小了，也该解决了。
结婚	marry	
离婚	divorce	◇ 年轻人谁不想结婚，就是找不到理想的对象。
婚礼	wedding ceremony	◆ 我觉得这种事情对我来说太容易了。昨天我参加了朋友的一个婚礼，认识了几个小姑娘，我倒可以给你们介绍介绍。你想找个什么样的？
青年人	youth	
青春	young; youthfulness	
很慢	very slow	
解放	liberate	◇ 我刚三十，女方年龄一定要在三十岁以下。
解决	solve	◆ 你对职业有什么要求？
一定	certainly, surely	◇ 教师、公司职员、公务员，什么职业都行。就是别找经商的，我不喜欢商人。
找到	have seeked	
思想	thought, ideology	
思考	think deeply	◆ 看来，你喜欢知识分子。爱好和兴趣呢？
意思	meaning, opinion	◇ 如果这个女孩儿对文学感兴趣，会说外语更好。长得别太难看，个子别太矮，应该在一米七零以上。人要重感情，并且思想解放一点儿。
职员	office worker	
职工	staff and workers	
并且	and	
内容	content	
矮小	short and small	◆ 你知道你为什么到现在还找不到对象吗？
高兴	glad, happy	◇ 你这话是什么意思？
感兴趣	interested	◆ 你的要求太高了，到哪儿找这么"十全十美"的？你慢慢地就明白了，找对象，条件不能定得过高，只要她真心爱你，其它条件差不多就行了。你知道城市女孩儿找男朋友的条件是什么吗？
事情	thing, affair	
感情	emotion	
心情	frame of mind	
难看	ugly	
难吃	taste bad	
难听	unpleasant to hear	
难喝	unpleasant to drink	◇ 我不知道，听你这么一说，我得好好地想想了。
难学	difficult to learn	
难说	it's hard to say	

连	县	城	厂	龄	未	婚	青	慢	解
决	定	找	既	思	累	职	并	容	易
嫁	材	矮	兴	趣	致	情	更	困	难

语　法　Grammar

● "连……也（都）……"结构表示强调，含有"甚至"的意思，如：

The construction 连…也(都)… means "even" and can be used for emphasis，e. g.

连县城工厂的大龄未婚青年慢慢也了解了。

他没上过学，连名字也不会写。

连孩子都知道这是什么东西。

我每天去教室上课，连商店都没去过。

● "既……又……"用来联系并列的动词、形容词，强调两种情况同时存在，如：

既…又… is used to link two coordinate verbs or adjectives, indicating the simultaneous existence of two circumstances, e. g.

她想找个既有意思又不累的职业。

他既会说英语，又会说汉语。

● "更"的用法，如：

Usage of the adverb 更，e. g.

找个身材不矮、兴趣一致的有情人更困难。

这本书不错，那本书比这本书更好。

通过他介绍以后，我更喜欢她了。

● "对……感兴趣"的用法，如：

Usage of 对…感兴趣，e. g.

S P O	感兴趣

他　对 电影　　　感兴趣。

他　对 文学　非常感兴趣。

他　对 足球　　不感兴趣。

● 副词"刚"的用法，如：

Usage of 刚，e. g.

他刚三十岁。

他刚出去。

他刚到北京。

现在刚八点。

● "倒"的用法，如：

Usage of 倒，e. g.

我认识几个小姑娘，我倒可以给你介绍介绍。

他去了几次都没买到那本书，我今天去倒买到了。

大人都不知道，一个小孩儿倒知道，真是太奇怪了。

● **选择正确的位置**　Choose a correct position：

1. A 小孩儿都知道 B 那个地方 C 叫 D 什么名字。

　　　　　　　　　连

2. 昨天天气 A 很 B 冷，C 今天 D 冷。

　　　　　　　　更

3. A 他 B 今天早上 C 八点 D 到这儿。

　　　　　　刚

4. 我先到的 A 没买到那本书，B 他 C 后到的 D 买到了。

　　　　　　倒

● **选择正确的答案**　Choose a correct answer：

1. 大家都＿＿＿＿旅行感兴趣。

　　A.　给

　　B.　为

　　C.　对

　　D.　向

2. 他既喜欢吃中餐，＿＿＿＿喜欢吃西餐。

　　A.　还

　　B.　也

　　C.　又

　　D.　更

3. 我觉得学习汉语＿＿＿＿不难。

　　A.　很

　　B.　并

　　C.　太

　　D.　非常

作 者 像

一九三九年于重庆

老舍文集

第十卷

老 舍 之 死

　　老舍是中国最著名的现代作家之一。老舍原名叫舒庆春，老舍是他用得最多的一个笔名。在中国，一提起老舍，可以说人人都知道，可是一说舒庆春，知道的就不多了。

　　老舍不是汉族人，是满族人。他是1899年出生在北京的一个市民家庭，从小是在北京长大的，是个地地道道的老北京人。加上他对北京人的生活和习俗十分了解，所以，他的文学作品"京味儿"十足。

　　老舍出生不久，他的父亲就去世了，是他母亲一个人把他养大的。当时他的母亲没有正式工作，只是给人家做点家务，收入很少。可以说，老舍小时候，家里很穷，连吃饭、穿衣都常常成问题。

　　老舍七岁开始接受旧式的教育，后来入小学，1913年他进入北京师范学校学习。四年后，1917年他在该校毕业。毕业后，他先在北京第十七小学当校长，后到天津南开中学教语文。在"五四"新文学运动中，老舍开始用白话进行写作。1924年，经朋友介绍，老舍到英国工作，在伦敦大学教中文。当时他一边教书，一边在伦敦大学图书馆看了许多英文小说。在看这些英文小说时，他常常想起在北京的人和事儿，他就把这些人和事儿写在一个本子上。有一天，他的一位从中国来的朋友到老舍住处作客，老舍把他写的这些念给他听，这位朋友非常激动地说："好！写得真是太好了！"他的这位朋友就是当时中国"文学研究会"的发起人之一，著名作家许地山先生。后来许地山先生把老舍的这部作品寄给国内的《小说月报》，不久就发表了，这就是老舍的第一本小说《老张的哲学》。从这以后，老舍一发而不可收，他在英国的六年中，先后在国内的《小说月报》上发表了三部小说。1930年老舍回国。回国后，他先后在山东济南大学和青岛山东大学教书。在这期间，老舍的主要作品有小说《离婚》《猫城记》等。1937年对老舍先生来说，是最重要的一年，在这一年他发表了他的代表作，著名小说《骆驼祥子》。这本小说写的是中国三十年代一位在北京的人力车夫的一生，表达了老舍先生对劳动人民的热爱。小说是使用北京话写的，使人，特别是北京人读起来十分亲切、感人。这本小说后来被翻译成十几种文字，在世界各国广为传播。《骆驼祥子》的问世使老舍先生成为了当时中国最有名的作家之一。

　　抗日战争时期，老舍到了重庆。在重庆老舍先生认识了中国共产党的领导人周恩来。这一时期，老舍写的主要是表现抗战题材的作品。

1946 年老舍到了美国。在美国他一是讲学，二是继续进行文学创作。《四世同堂》就是老舍在美国时写的一部上百万字的小说。1949年新中国成立，老舍先生回到祖国。对新中国，新社会，老舍先生充满了无限的爱。他的这一感情表现在解放后他的大量作品中。老舍先生解放后主要是从事剧本的创作。从 1949 年到 1966 年他一共写了二十三个剧本，如《西望长安》《女店员》《全家福》《茶馆》等，其中《茶馆》影响最大，这个话剧在北京和世界很多国家多次上演过。

《茶馆》写的是从 1898 年，也就是清朝末年到 1949 年新中国成立这五十年中，北京的一家茶馆所经历的风风雨雨。老舍先生说："一个大茶馆就是一个小社会。"可以说，老舍先生通过写一个茶馆，把旧中国五十年的历史以艺术形式生动地表现了出来。

从《骆驼祥子》到《茶馆》，老舍喜欢写社会上的小人物，写穷苦的劳动人民，他的作品贴近人民，贴近老百姓的生活，所以受到了人民的喜爱。人们把老舍先生称之为"人民艺术家"。可是就是这样一位"人民艺术家"在 1966 年以自杀的方式结束了自己宝贵的生命。

不久前，我在一本杂志上看到了这样一段文字：

"1966 年夏天的一个上午，有十几个中学生来到了老舍先生家，他们一进门，就十分不礼貌地在老舍先生的书房里乱翻，并把老舍先生叫做'老反革命'，让他亲手把他写的书烧了，如果不烧就打死他。老舍先生流着泪水把自己心爱的作品投到了大火中。第二天，人们就再也见不到他了。一个星期后，人们在离他家不远的一个湖里，发现了一位死去的老人，此人正是老舍先生，死时 67 岁。"

读到这时，我哭了，心想：中国只有一个老舍呀！他这么好的人，怎么是这样的结局呢？我怎么也想不明白。一个星期天的上午我一个人来到了那个湖边，我看着湖水，真希望他老先生能从水中走来。这时候我问自己，当时老舍先生在自杀之前在想些什么呢？

一会儿，一位比我还大几岁的老人也来到湖边，他看了看我的表情说："是想念老舍先生了吧？"我奇怪地问："是呀！您怎么知道？"他说："如果老舍先生活着的话，明年该 100 岁啦！这几天来的人特别多。"说完这位老人在湖边的石头上写下了这样两句诗：

有的人活着，可是他已经死了！

有的人死了，可是他还活着！

老舍	Lǎo Shě	(name of a writer)	广为	guǎngwéi	extensive, broad
原名	yuánmíng	original name	传播	chuánbō	spread
舒庆春	Shū Qìngchūn	(name of a person)	问世	wènshì	be published
提起	tíqǐ	mention, speak of	抗日	kàng Rì	resistance against Japan
族	zú	nationality	战争	zhànzhēng	war
市民	shìmín	city residents	重庆	Chóngqìng	(a city's name)
地地道道	dìdìdàodào	typical	共产党	gòngchǎndǎng	the Communist Party
习俗	xísú	custom	领导	lǐngdǎo	lead; leader
味儿	wèir	taste, flavour	周恩来	Zhōu Ēnlái	(a statesman)
十足	shízú	sheer, full of	题材	tícái	subject matter
不久	bùjiǔ	soon	讲学	jiǎngxué	give lectures
养	yǎng	support, raise	创作	chuàngzuò	create, write
收入	shōurù	income, revenue	百万	bǎiwàn	million
穷	qióng	poor	充满	chōngmǎn	fill
接受	jiēshòu	accept	无限	wúxiàn	infinite
旧式	jiùshì	old type	剧本	jùběn	script
入	rù	enter	话剧	huàjù	modern drama
师范	shīfàn	normal school	影响	yǐngxiǎng	influence
校长	xiàozhǎng	headmaster	末年	mònián	last years of a dynasty
天津	tiānjīn	(a city's name)	成立	chénglì	found
白话	báihuà	vernacular	经历	jīnglì	experience; undergo
写作	xiězuò	writing	历史	lìshǐ	history
伦敦	Lúndūn	London	形式	xíngshì	form
作客	zuòkè	sojourn	穷苦	qióngkǔ	poverty-stricken
激动	jīdòng	excited	老百姓	lǎobǎixìng	common people
发起人	fāqǐrén	initiator	称	chēng	call
发表	fābiǎo	publish	自杀	zìshā	commit suicide
哲学	zhéxué	philosophy	结束	jiéshù	finish, end
济南	Jǐnán	(a city's name)	宝贵	bǎoguì	valuable
青岛	Qīngdǎo	(a city's name)	生命	shēngmìng	life
猫	māo	cat	段	duàn	paragraph
代表作	dàibiǎozuò	representative work	反革命	fǎn gémìng	counter-revolutionary
骆驼	luòtuo	camel	亲手	qīnshǒu	with one's own hands
祥子	xiángzi	(name of a person)	泪	lèi	tear
年代	niándài	time, years	投	tóu	put in
人力	rénlì	manpower	湖	hú	lake
车夫	chēfū	carter, rickshaw puller	此	cǐ	this
表达	biǎodá	express	哭	kū	cry
劳动	láodòng	labour	结局	jiéjú	final result
亲切	qīnqiè	cordial, kind	表情	biǎoqíng	expression
感人	gǎnrén	touching, moving	石头	shítou	stone, rock

1	假	jià	holiday, leave of absence	假日	jiàrì	holiday
		jiǎ	false, fake, sham	假的	jiǎde	fake
2	除	chú	remove; besides	除了	chúle	except, besides
3	睡	shuì	sleep	睡觉	shuìjiào	sleep
4	懒 [懶]	lǎn	lazy, indolent	睡懒觉	shuì lǎnjiào	get up late
5	跑	pǎo	run	跑步	pǎobù	run, march at the double
6	艺 [藝]	yì	art, skill			
7	术 [術]	shù	skill, technique, art	艺术	yìshù	art
8	操	cāo	grasp, hold, operate	体操	tǐcāo	gymnastics, aerobics
9	演	yǎn	perform			
10	唱	chàng	sing	演唱	yǎnchàng	sing (in a performance)
11	歌	gē	song			
12	曲	qǔ	melody, tune	歌曲	gēqǔ	song
13	跳	tiào	jump, bounce			
14	交	jiāo	associate with, hand over			
15	际 [際]	jì	among; border			
16	舞	wǔ	dance	交际舞	jiāojìwǔ	ballroom dancing
17	玩	wán	play, enjoy			
18	扑 [撲]	pū	throw oneself on			
19	克	kè	overcome; gram			
20	牌	pái	cards, plate	扑克牌	pūkèpái	poker
21	棋	qí	chess or any board game	象棋	xiàngqí	Chinese chess
22	联 [聯]	lián	unite, join			
23	合	hé	join, close	联合	liánhé	unite
24	伙 [夥]	huǒ	partnership			
25	伴	bàn	companion; accompany	伙伴	huǒbàn	companion
26	举 [舉]	jǔ	hold, lift, act; whole			
27	办 [辦]	bàn	do, handle	举办	jǔbàn	hold, conduct
28	末	mò	end	周末	zhōumò	weekend
29	庭	tíng	front yard, law court	家庭	jiātíng	family
30	乐 [樂]	yuè	music	音乐会	yīnyuèhuì	concert
		lè	happy; enjoy, laugh	快乐	kuàilè	happy, joyful

短句 假日他除了睡懒觉，还常去跑步，做艺术体操，演唱歌曲，跳交际舞，玩扑克牌、下象棋，或者联合小伙伴举办周末家庭音乐会。

Jiàrì tā chúle shuì lǎnjiào, hái cháng qù pǎobù, zuò yìshù tǐcāo, yǎnchàng gēqǔ, tiào jiāojìwǔ, wánr pūkèpái, xià xiàngqí, huòzhě liánhé xiǎohuǒbàn jǔbàn zhōumò jiātíng yīnyuèhuì.

繁體 假日他除了睡懶覺，還常去跑步，做藝術體操，演唱歌曲，跳交際舞，玩撲克牌、下象棋，或者聯合小夥伴舉辦周末家庭音樂會。

110

组　词	口　语

组词

寒假	winter vacation
假期	vacation
假的	fake
长跑	long-distance race
文艺	literature & art
美术	art
操场	playground
表演	perform
演员	actor or actress
唱歌	sing (a song)
一首歌	one song
曲子	tune, melody
跳舞	dance
交朋友	make friends
交钱	to pay
国际	international
玩儿	to play
开玩笑	crack a joke
克服	surmount
牌子	sign, plate
名牌儿	famous brand
围棋	weiqi (a game)
联系	contact; relation
合作	cooperate
合适	suitable
四合院	quadrangle
集合	gather, assemble
小伙子	lad, young fellow
举行	hold (a meeting...)
办公室	office
音乐	music
快乐	joyful
可乐	Coca Cola

口语

◆ 下学期你还继续在这儿学习吗？

◇ 我还在这儿学习，我刚去办公室办完手续。

◆ 快放寒假了，假期你想去哪儿旅行？

◇ 这个假期我不想去外地旅行，我想好好地参观参观北京的胡同儿。北海公园附近有不少胡同儿，每个胡同儿口都有一个红色的牌子。胡同里有很多老式的四合院，里边的房子很漂亮。

◆ 什么叫四合院？

◇ 就是老北京人过去住的房子，它是一个四面都有墙的院子。有一次，我进了一个四合院。

◆ 怎么样？你看到了什么？

◇ 那天，天气热，许多人都从屋里出来，坐在院子里。小伙子们有的下棋，有的打扑克。老人和孩子们在一旁玩儿。一个小孩儿一边喝着可乐，一边跳舞，可爱极了。

◆ 小伙子们下什么棋？是国际象棋吗？

◇ 不是，是中国象棋，有的人下围棋。

◆ 围棋很难下，我看过日本人下围棋。听说日本人围棋下得比中国人好，是真的吗？

◇ 不知道，也许是假的。你假期打算做什么？

◆ 我准备去长城看看，还想参观北京美术馆。

◇ 除了参观美术馆以外，你还想去哪儿玩儿？

◆ 如果有合适的音乐会，我也想去听一次。说不定还能见到个名演员或者交上个女朋友呢！

◇ 你又开玩笑啦！

假	除	睡	懒	跑	艺	术	操	演	唱
歌	曲	跳	交	际	舞	玩	扑	克	牌
棋	联	合	伙	伴	举	办	末	庭	乐

111

● "除了……以外"（"以外"可省略）可以表示在什么以外还有别的，后边常跟副词 "还""也"等，如：

除了…以外 (以外 may be omitted) means "in addition to" or "besides". It is often followed by adverbs such as 还 or 也, e. g.

除了参观美术馆以外,你还想去哪儿?
除了英语以外,他还会说法语和日语。
除了上课以外,我还去参观很多地方。
除了张老师以外,王老师也给我们上课。
除了书以外,我还想买几本词典。

● "一边……一边……"用在动词后，表示两个动作在同时发生，如：

一边…一边… is placed after verbs to indicate that two actions are happening at the same time, e. g.

我们一边喝茶,一边谈话。
他一边唱,一边跳。
因为他一边画图,一边讲,所以我们都听懂了。

● "或者"一般用在陈述句中，如：

或者, meaning "or", is mostly used in statements, such as:

假期我去旅行,或者参加体育比赛。
明天我想去看个电影,或者去公园玩儿。
晚上她常常看电视,或者看报。

● 总结结构助词"的""得""地"的用法。"的"用在定语和中心语之间，中心语多为名词。如：

Summary of the structural particles 的, 得 and 地：

的 is generally placed between an attributive modifier and the word (mostly noun) it modifies, e. g.

我的书
孩子的老师
买东西的人

> 的　+　N

"得"用在动词和程度补语或可能补语之间，如：

得 is generally placed between a complement of degree (or a potential complement) and the predicate verb, e. g.

他汉语说得很流利。
他唱得很好。
他听得懂他说的话。

> V　+　得

"地"一般在形容词后作动词的状语，如：

地 is generally placed between an adverbial modifier and the predicate verb, e. g.

我想好好地参观参观北京的胡同儿。
他高兴地对我说:"他考上大学啦!"
他奇怪地问我:"你怎么认识她呢?"

> 地　+　V

● **选择正确的位置**　Choose a correct position:

1. A 圆明园 B 以外，C 别的 D 公园他都去过了。

　　　　　　　除了

2. 他 A 坐 B 在椅子上 C 喝茶，D 看电视。

　　　　　　　一边

3. A 星期天他常常 B 去书店，C 去跟朋友 D 下象棋。

　　　　　　　或者

4. 参观美术馆以后，A 你 B 想 C 去 D 什么地方？

　　　　　　　还

● **选择正确的答案**　Choose a correct answer:

1. 明年你继续学习，_____去找工作？

　　A． 或者

　　B． 还是

　　C． 还

　　D． 和

2. 他认真_____对我说："我不喜欢你。"

　　A． 的

　　B． 得

　　C． 地

　　D． 很

3. 在旅行中，_____我能遇到我中学时的同学。

　　A． 也许

　　B． 可能

　　C． 说不定

　　D． 或者

113

识字二十五句译文

English Translation of the 25 Constructed Sentences

1 My girlfriend was born in 1967 on May 28th. This year she is 34 years old. This Sunday is her birthday.

2 Mr. Wang is a very experienced teacher, working at Beijing University. He specializes in teaching foreign students modern Chinese language and calligraphy.

3 If you don't know our school canteen and dining hall servers' names, you can ask them: "Miss, may I ask your surname?"

4 When Chinese people meet an acquaintance on the street, they do not usually say "Hello!". They would rather ask: "Where are you going?" "Have you eaten yet?"

5 Beginning tomorrow, every morning at seven fifteen I will ride my bicycle to class, practice pronunciation, read text, memorize words, dictate Chinese characters, and answer questions.

6 The day after tomorrow at 5 minutes to 4 in the afternoon, she wants to go together with her classmates to the "New World" shop again to buy some daily articles by taxi and subway.

7 Half a kilogramme of fruits, one pair of leather shoes, two pens, three magazines, four pairs of cotton interlock trousers, five pieces of sportswear and six tourist maps cost 1300 RMB yuan in all.

8 Yesterday evening both of us were hungry and thirsty. We had a dish of "fish-smelling" spicy shredded meat, a vegetarian plate of stir-fried water spinach, a cold dish, and two bowls of rice. We drank two cups of hot tea and five bottles of beer. We spent a lot of money.

9 Uncle Lin's family is very large. His family includes his father, mother, an elder brother, sister-in-low, younger brother, and a sister. His grandfather and grandmother, who have retired from the army a long time ago, also live with him.

10 This child, who was born in the year of the sheep, has very high aspirations. He has not yet graduated from university. His test results in math, physics and chemistry are all very good. In the future, he wants to work in the field of natural science and be a researcher.

11 A news reporter introduced me to a beautiful and gentle girl from Shandong Province. She is an interpreter for a travel service. She can read and understand classical poems. She speaks English very fluently.

12 The anchorwoman of Shanghai television station programme is tall, has slender legs, melon seed-shaped face, and beautiful charming eyes. Everyone says she is lively and smart. She looks like a model in the film.

13 The woman's clothing section at the supermarket sells red, white, black, green, orange, dark blue and light grey coloured clothing. The colour and style of clothes a person selects reflects his/her personality and preference.

14 The way that Chinese express politeness as compared to Westerners is really very different. For example, when family members or good friends are helping each other, they don't always have to say "Thank you!".

15 According to my observation, farmers who live in village have a traditional custom. After receiving a gift from a guest, they generally do not open the gift; otherwise, people would find it rude and talk about them behind their backs.

16 I have a cold, a fever, stomach pains, and a terrible headache. The doctor at the provincial hospital gave me a physical examination and said, "You've caught cold, don't be afraid. It is not very serious. Rest and take some medicine."

17 Because he is actively taking physical exercise – he skates during winter, swims in the river during summer, and joins football and volleyball matches during the spring and autumn – he is becoming more and more healthy.

18 Just now the weather forecast says that a cold current will soon arrive. Tomorrow morning it will rain and snow. The wind is blowing up from the South. The lowest temperature is expected to be around – 5°C. During the evening it will clear up, and wind will blow down from the North. The wind power will get smaller to about 4 degrees.

19 The distance from a certain computer company to the Capital Exhibition Hall is very far. The company is near Yuanmingyuan Park. There are a lot of trees around the company, and across from it there is a building. Beside the company, there is a railway station and a bicycle parking lot.

20 The domitory is very clean. Oil paintings hang from the walls. There is an old linguistic dictionary on the table. The two deck chairs are arranged very neatly. Beside the window stands a bookshelf with a collection of books written by Hu Shi.

21 The post office worker thought that his air-mail envelope was not only set-up strangely, but the writing was also difficult to read. The post office worker told him that the lower right hand corner should be for the sender's address, and the upper left hand corner can't have the commemoration stamp randomly pasted on it.

22 After checking-in the luggage at Jinshajiang Airport, she continued to walk forward, and suddenly, she stopped to hold my hand for the first time. She said softly, "Wish you happiness forever! Have a safe trip!"

23 Mr. He does things carelessly. He loses and forgets things all the time. Once I asked him to please get my passport and library card from my bag. Instead, he ended up bringing everything else except what was asked of him, which caused more trouble.

24 Even the women workers in the county factory, who are not yet married but above the normal age for marriage, are slowly beginning to understand that it is not easy to find a profession that is interesting but not tiresome. They also realize that it is even more difficult to find a husband, who has a tall figure and shares common interests with them.

25 During the holidays besides getting up late, he also went running, did aerobics, sang songs, went ballroom dancing, played poker, and played Chinese chess. Besides these activities, he also got a group together on the weekends for music concerts at his house.

字 词 总 表
Vocabulary

A

啊   a   *(a modal particle)*

矮   ǎi   *short, low*

矮小   ǎixiǎo   *short and small*

爱   ài   *like, love*

爱好   àihào   *like; hobby*

爱人   àiren   *husband or wife*

安   ān   *peaceful, safe*

安静   ānjìng   *quiet*

安排   ānpái   *arrange*

安全   ānquán   *safe*

B

八   bā   *eight*

八月   bāyuè   *August*

吧   ba   *(a modal particle)*

把   bǎ   *(a measure word; preposition)*

爸   bà   *dad, father*

爸爸   bàba   *dad*

白   bái   *white*

白酒   báijiǔ   *white spirit*

白天   báitiān   *day time*

百   bǎi   *hundred*

百科全书   bǎikēquánshū   *encyclopedia*

摆   bǎi   *arrange*

班   bān   *class*

班上   bānshang   *in the class*

般   bān   *sort*

办   bàn   *do, handle*

办公室   bàngōngshì   *office*

半   bàn   *half*

半年   bànnián   *half a year*

半天   bàntiān   *half a day, a long time*

伴   bàn   *companion; accompany*

帮   bāng   *to help*

帮助   bāngzhù   *to help*

包   bāo   *bag; wrap*

包子   bāozi   *steamed stuffed bun*

报   bào   *report; newspaper*

报道   bàodào   *report (news)*

报告   bàogào   *report*

报名   bàomíng   *sign up*

报社   bàoshè   *newspaper office*

抱   bào   *hug, cherish*

杯   bēi   *cup; (a measure word)*

杯子   bēizi   *cup, glass*

北   běi   *north*

北边   běibiān   *the north*

北大   Běi Dà   *Beijing University*

北京   Běijīng   *Beijing*

北京话   Běijīnghuà   *Beijing dialect*

北京市   Běijīng Shì   *the City of Beijing*

北面   běimiàn   *the northern side*

备   bèi   *prepare*

备课   bèikè   *prepare lessons*

被   bèi   *quilt; by (passive form)*

被子   bèizi   *quilt*

本   běn   *(a measure word); book*

本科生   běnkēshēng   *undergraduate*

本子   běnzi   *notebook*

比   bǐ   *compare*

比较   bǐjiào   *fairly; compare*

比如   bǐrú   *for example*

比赛   bǐsài   *match, competition*

笔   bǐ   *pen*

笔记本   bǐjìběn   *notebook*

笔名   bǐmíng   *pen name*

笔试   bǐshì   *written test*

必   bì   *certainly*

毕   bì   *finish, accomplish*

毕业   bìyè   *graduate*

边   biān   *side, edge, border*

变   biàn   *become different, change*

变化   biànhuà   *change*

表   biǎo   *show; surface, form, metre*

表示   biǎoshì   *show, express*

表现   biǎoxiàn   *performance*

表演   biǎoyǎn   *perform*

别   bié   *distinction; other; don't*

别的   biéde   *other*

冰   bīng   *ice*

冰场   bīngchǎng   *skating rink*

冰鞋   bīngxié   *skating boots*

并   bìng   *(used for emphasis), and*

并且   bìngqiě   *and*

病   bìng   *ill, disease*

	病人	bìngrén	patient
播		bō	broadcast, sow
不		bù	not, no
	不错	búcuò	correct, right
	不但	búdàn	not only
	不过	búguò	but
	不幸	búxìng	misfortune
	不怎么	bùzěnme	not very
	不怎么样	bùzěnmeyàng	not up to much
步		bù	step
部		bù	part, unit, ministry
	部长	bùzhǎng	minister
	部分	bùfen	part
	部门	bùmén	department

C

才		cái	just, only; ability
材		cái	timber, material, ability
菜		cài	vegetable, course, dish
	菜单	càidān	menu
	菜店	càidiàn	vegetable shop
参		cān	join
	参观	cānguān	visit
	参加	cānjiā	join
餐		cān	meal
	餐厅	cāntīng	dining hall
操		cāo	grasp, hold, operate
	操场	cāochǎng	playground
差		chā	difference, dissimilarity
	差别	chābié	difference
查		chá	check, look into
茶		chá	tea
	茶杯	chábēi	tea cup
察		chá	look into
差		chà	differ from, short of; bad
	差不多	chàbuduō	nearly, similar
长		cháng	long; length
	长城	Chángchéng	the Great Wall
	长江	Chángjiāng	the Yangtze River
	长跑	chángpǎo	long-distance race
常		cháng	often; ordinary
	常常	chángcháng	often
	常年	chángnián	perennial
厂		chǎng	factory
场		chǎng	a place where people gather
唱		chàng	sing
	唱歌	chànggē	sing (a song)
超		chāo	surpass; super
	超级	chāojí	super

	超重	chāozhòng	overload
朝		cháo	facing, dynasty
	朝代	cháodài	dynasty
炒		chǎo	stir-fry
	炒菜	chǎocài	stir-fried dish
车		chē	vehicle
晨		chén	morning
成		chéng	become
	成绩	chéngjì	result, achievement
城		chéng	city, town
	城市	chéngshì	city
吃		chī	eat
	吃不起	chībuqǐ	can't afford to eat
持		chí	hold, support
出		chū	go out
	出国	chūguó	go abroad
	出生	chūshēng	be born
	出租	chūzū	hire out; taxi
除		chú	remove; besides
	除了	chúle	except, besides
楚		chǔ	clear
处		chù	place, office, department
穿		chuān	wear, cross
传		chuán	pass
	传统	chuántǒng	tradition
	传真	chuánzhēn	facsimile
窗		chuāng	window
	窗户	chuānghu	window
春		chūn	spring
	春季	chūnjì	spring
	春天	chūntiān	spring
词		cí	word
	词典	cídiǎn	dictionary
次		cì	time, order, second
从		cóng	from; ever
	从不	cóngbù	never
	从来	cónglái	at all times
村		cūn	village
	村子	cūnzi	village
存		cún	leave with, exist, be in stock
	存车处	cúnchēchù	bicycle parking lot
错		cuò	fault; wrong

D

答		dá	reply, answer
打		dǎ	make, hit
	打开	dǎkāi	open
	打算	dǎsuàn	plan
	打听	dǎtīng	ask about

打招呼	dǎzhāohu	say hello, greet
	dà	big, eldest
大多数	dàduōshù	great majority
大家	dàjiā	everybody
大姐	dàjiě	eldest sister
大龄	dàlíng	above the normal age for marriage
大米	dàmǐ	rice
大人	dàren	adult
大使	dàshǐ	ambassador
大使馆	dàshǐguǎn	embassy
大小	dàxiǎo	size
大学	dàxué	university
大学生	dàxuéshēng	college student
大衣	dàyī	overcoat
	dài	
大夫	dàifu	doctor
	dài	historical period, generation
代表	dàibiǎo	deputy; represent
代词	dàicí	pronoun
	dài	bring
带东西	dài dōngxi	bring a thing
	dān	single
单词	dāncí	word
单位	dānwèi	unit
单子	dānzi	form, list
	dàn	but
但是	dànshì	but
	dāng	be; just at
当然	dāngrán	of course
	dǎo	lead, guide
导游	dǎoyóu	guide
导游图	dǎoyóutú	tourist map
	dào	upside down, inverse
	dào	arrive, go to
到处	dàochù	everywhere
	dào	say; road, Taoism
道教	dàojiào	Taoism
道理	dàolǐ	reason
道路	dàolù	road, way
	de	(a structural particle)
的话	dehuà	if
	de	(a structural particle)
	de	(a structural particle)
	dé	get
得病	débìng	fall ill
得到	dédào	get, obtain, receive
	děi	must, have to
	děng	equal; wait; class
等等	děngděng	and so on, etc.

等人	děngrén	wait for someone
等于	děngyú	equal to
	dī	low
	dì	land, soil, fields
地方	dìfang	place
地铁	dìtiě	subway, metro
地铁站	dìtiězhàn	subway station
地图	dìtú	map
地址	dìzhǐ	address
	dì	younger brother
弟弟	dìdi	younger brother
	dì	(a prefix)
第一次	dì yī cì	first
	diǎn	standard
典礼	diǎnlǐ	ceremony
	diǎn	o'clock, point, drop
点菜	diǎncài	order dishes
点钟	diǎnzhōng	o'clock
	diàn	electricity
电车	diànchē	tram, trolleybus
电话	diànhuà	telephone
电视	diànshì	television
电视台	diànshìtái	television station
电台	diàntái	radio station
电影	diànyǐng	film
电影迷	diànyǐng mí	film fan
电影票	diànyǐng piào	film ticket
	diàn	shop, store
	dìng	fix, decide; surely
	diū	lose, mislay, throw, cast
丢了	diūle	have lost
	dōng	east
东边	dōngbian	the east
东西	dōngxi	thing
	dōng	winter
冬季	dōngjì	winter
冬天	dōngtiān	winter
	dǒng	understand, know
	dòng	move, act
动词	dòngcí	verb
动物	dòngwù	animal
	dōu	all
	dú	read
读者	dúzhě	reader
	dù	abdomen
肚子	dùzi	abdomen
	dù	degree
	duàn	forge
锻炼	duànliàn	have physical training
	duì	team

对		duì	*right, opposite; treat*
	对面	duìmiàn	*opposite*
	对象	duìxiàng	*boy or girl friend*
多		duō	*many, much*
	多长时间	duōcháng shíjiān	*how long (time)*
	多么	duōme	*how*
	多少	duōshao	*how many (much)*

E

饿		è	*hungry*
儿		ér	*child, son; (a suffix)*
	儿子	érzi	*son*
而		ér	*but, and*
	而且	érqiě	*and; also, too*
二		èr	*two*
	二月	èryuè	*February*

F

发		fā	*utter, send out*
	发表	fābiǎo	*publish*
	发烧	fāshāo	*have a fever*
	发现	fāxiàn	*discover*
	发音	fāyīn	*pronunciation*
	发展	fāzhǎn	*develop*
法		fǎ	*method, law*
	法国	Fǎguó	*France*
	法国菜	fǎguócài	*French meal*
	法文	Fǎwén	*French*
	法语	Fǎyǔ	*French*
发		fà	*hair*
翻		fān	*translate, turn over, cross*
	翻译	fānyì	*translator; translate*
烦		fán	*be vexed; trouble*
反		fǎn	*in reverse; counter*
	反面	fǎnmiàn	*reverse side*
	反应	fǎnyìng	*reaction*
	反映	fǎnyìng	*reflect*
饭		fàn	*meal*
	饭店	fàndiàn	*hotel*
	饭馆	fànguǎn	*restaurant*
	饭碗	fànwǎn	*bowl*
方		fāng	*way, side, region*
	方法	fāngfǎ	*method*
	方面	fāngmiàn	*aspect*
	方式	fāngshì	*way*
	方向	fāngxiàng	*direction*
房		fáng	*house, room*

	房间	fángjiān	*room*
	房子	fángzi	*house*
访		fǎng	*to visit*
	访问	fǎngwèn	*to visit*
放		fàng	*put on*
	放心	fàngxīn	*be at ease*
飞		fēi	*to fly; swiftly*
	飞机	fēijī	*airplane*
	飞机场	fēijīchǎng	*airport*
	飞机票	fēijīpiào	*air ticket*
非		fēi	*not; wrong; (abbr. for Africa)*
	非常	fēicháng	*very*
分		fēn	*minute; divide, (a measure word)*
	分钟	fēnzhōng	*minute*
份		fèn	*(a measure word)*
风		fēng	*wind*
	风度	fēngdù	*demeanor*
	风格	fēnggé	*style*
	风力	fēnglì	*wind power*
	风貌	fēngmào	*view, scene*
封		fēng	*seal; envelope; (a measure word)*
否		fǒu	*negate, deny*
	否则	fǒuzé	*otherwise*
夫		fū	*man, husband*
	夫妇	fūfù	*husband and wife*
	夫人	fūrén	*Lady*
服		fú	*clothes; serve, obey*
	服务	fúwù	*serve*
	服务员	fúwùyuán	*waiter, server*
	服装	fúzhuāng	*costume*
福		fú	*happiness*
	福气	fúqi	*happy lot*
父		fù	*father*
	父亲	fùqin	*father*
妇		fù	*woman, married woman*
	妇科	fùkē	*gynaecology*
	妇女	fùnǚ	*woman*
负		fù	*bear, rely on*
附		fù	*be near, attach*
	附近	fùjìn	*nearby*
傅		fù	*teacher, instructor*

G

该		gāi	*should*
干		gān	*dry, empty*
	干杯	gānbēi	*drink a toast*
	干净	gānjìng	*clean*

干		gàn	do
	干部	gànbù	cadre
感		gǎn	feel, sense, move, be affected
	感到	gǎndào	sensed
	感觉	gǎnjué	sense perception
	感冒	gǎnmào	catch cold
	感情	gǎnqíng	emotion
	感想	gǎnxiǎng	impressions
	感谢	gǎnxiè	thank
	感兴趣	gǎnxìngqù	be interested
刚		gāng	just
	刚才	gāngcái	just now
钢		gāng	steel
	钢笔	gāngbǐ	pen
高		gāo	high, tall
	高大	gāodà	tall and big
	高度	gāodù	altitude
	高个儿	gāogèr	a tall person
	高兴	gāoxìng	glad, happy
	高中	gāozhōng	the senior class
搞		gǎo	do, get
告		gào	tell, declare
	告别	gàobié	bid farewell to
	告诉	gàosù	tell
哥		gē	elder brother
	哥哥	gēge	elder brother
歌		gē	song
	歌曲	gēqǔ	song
格		gé	pattern, style
个		gè	(a measure word)
	个子	gèzi	height, size
		gè	every, each
给		gěi	give, for
根		gēn	root (of a plant), cause
	根本	gēnběn	at all; base
	根据	gēnjù	according to
跟		gēn	with; follow
更		gèng	more, still more
工		gōng	work
	工厂	gōngchǎng	factory
	工人	gōngrén	worker
	工商局	gōngshāngjú	Commercial Bureau
	工业	gōngyè	industry
	工作	gōngzuò	to work; job
公		gōng	metric, public, male
	公分	gōngfēn	centimetre
	公共汽车	gōnggòngqìchē	bus
	公斤	gōngjīn	kilogramme
	公路	gōnglù	highway

	公司	gōngsī	company
	公务员	gōngwùyuán	civil servant
	公园	gōngyuán	park
功		gōng	merit, result
	功课	gōngkè	schoolwork
共		gòng	altogether, common
	共同	gòngtóng	common
够		gòu	quite, enough
姑		gū	aunt, father's sister
	姑姑	gūgu	father's sister
	姑娘	gūniang	girl
古		gǔ	ancient
	古代	gǔdài	ancient times
	古老	gǔlǎo	ancient
	古诗	gǔshī	classical poem
瓜		guā	melon, gourd
	瓜子	guāzǐ	melon seeds
刮		guā	blow
	刮风	guāfēng	it's blowing
挂		guà	hang
	挂号	guàhào	register
	挂号信	guàhàoxìn	registered letter
怪		guài	strange
关		guān	close, concern
	关系	guānxi	relation
观		guān	watch, view
	观察	guānchá	observe
	观点	guāndiǎn	point of view
馆		guǎn	accommodation for guests
惯		guàn	be in the habit of
广		guǎng	vast, wide; expand
	广播	guǎngbō	broadcast
	广播员	guǎngbōyuán	broadcaster
	广告	guǎnggào	advertisement
贵		guì	expensive, valuable; your
国		guó	country
	国画	guóhuà	Chinese painting
	国际	guójì	international
	国家	guójiā	country
	国内	guónèi	internal
	国外	guówài	abroad
果		guǒ	result, fruit
过		guò	to pass; fault
	过去	guòqù	in or of the past

H

孩		hái	child
	孩子	háizi	child

还	hái	still, fairly, also
还可以	háikěyǐ	not bad
还是	háishì	or; still
海	hǎi	sea
海军	hǎijūn	navy
害	hài	evil; harm; harmful
害怕	hàipà	be afraid
寒	hán	cold
寒假	hánjià	winter vacation
寒流	hánliú	cold current
汉	hàn	the Han nationality
汉代	Hàndài	the Han Dynasty
汉学	Hànxué	sinology
汉语	Hànyǔ	the Chinese language
汉语课	hànyǔkè	class in Chinese
汉字	hànzì	Chinese character
航	háng	boat, ship; navigate
航班	hángbān	scheduled flight
航空	hángkōng	aviation
好	hǎo	good, kind
好吃	hǎochī	delicious
好好地	hǎohǎode	all out
好喝	hǎohē	nice to drink
好极了	hǎojíle	excellent
好人	hǎorén	good person
好听	hǎotīng	pleasant to hear
好学	hǎoxué	be easy to study
好像	hǎoxiàng	seem, be like
	hào	like
	hào	number, date, mark
	hē	to drink
	hé	join, close
合适	héshì	suitable
合作	hézuò	cooperate
	hé	(a surname); what
	hé	and
	hé	river
河北省	Héběi Shěng	Hebei Province
	hēi	black
黑色	hēisè	black
	hěn	very
	hóng	red
红茶	hóngchá	black tea
红色	hóngsè	red
	hòu	behind, after
后边	hòubian	behind
后来	hòulái	afterwards
后面	hòumian	at the back, behind
后年	hòunián	the year after next

后天	hòutiān	the day after tomorrow
	hòu	time, season; wait
	hū	shout, breathe out
	hū	suddenly; neglect
忽然	hūrán	suddenly
	hú	(a surname); recklessly
胡适	Hú Shì	(name of a person)
胡同儿	hútòngr	lane, alley
胡子	húzi	beard
	hǔ	tiger
	hù	each other
互相	hùxiāng	mutual, each other
	hù	door, household
	hù	protect
护照	hùzhào	passport
	huā	flower; spend
花茶	huāchá	scented tea
花店	huādiàn	flower shop
花瓶	huāpíng	flower vase
花钱	huāqián	spend
花儿	huār	flower
花生油	huāshēngyóu	peanut oil
	huá	slide
滑冰	huábīng	skating
滑雪	huáxuě	skiing
	huà	chemistry; change
化学	huàxué	chemistry
	huà	painting; paint
画报	huàbào	pictorial
画儿	huàr	picture
画家	huàjiā	painter
	huà	word, talk
	huān	merry
欢送	huānsòng	see off
	huán	give back
	huáng	yellow
黄瓜	huángguā	cucumber
黄河	Huánghé	the Yellow River
黄色	huángsè	yellow
	huī	grey, ash, dust
	huí	return, answer; time
回答	huídá	answer
回国	huíguó	return to homeland
回去	huíqu	go back
	huì	can, meet; meeting, association
会场	huìchǎng	meeting-place
会话	huìhuà	conversation
会见	huìjiàn	meet with
	hūn	marry; wedding

	婚礼	hūnlǐ	wedding ceremony
活		huó	live, movable, quick
火	活动	huódòng	activity
		huǒ	fire
	火车	huǒchē	train
	火车票	huǒchēpiào	train ticket
伙	火车站	huǒchēzhàn	railway station
或		huǒ	partnership
	伙伴	huǒbàn	companion
		huò	or
	或者	huòzhě	or

J

机		jī	machine, crucial point
积	机会	jīhuì	opportunity, chance
		jī	store up; long-standing
级	积极	jījí	active, positive
极		jí	level, degree, grade
集		jí	extreme; pole
		jí	collect, gather
	集合	jíhé	gather, assemble
	集体	jítǐ	collective
	集中	jízhōng	concentrate
几		jǐ	a few; how many
	几分钟	jǐ fēnzhōng	a few minutes
计		jì	count, compute; metre
记	计算机	jìsuànjī	computer
		jì	remember, note
	记得	jìde	remember
	记者	jìzhě	reporter
纪		jì	epoch; record
际	纪念	jìniàn	commemorate; souvenir
季		jì	among; border
既		jì	season
继	季节	jìjié	season
		jì	both . . . and
		jì	continue
寄	继续	jìxù	continue
绩		jì	send, post, depend on
加	寄信人	jìxìnrén	sender
		jì	achievement, merit
家		jiā	add, increase
	加上	jiāshàng	add
		jiā	family, home, specialist
	家庭	jiātíng	family
假	家务	jiāwù	household duties
架		jiǎ	false, fake; sham
	假的	jiǎde	fake
		jià	shelf, frame

假		jià	holiday, leave of absence
	假期	jiàqī	vacation
	假日	jiàrì	holiday
嫁		jià	(of a woman) marry
间		jiān	time or space
检		jiǎn	examine, inspect
简	检查	jiǎnchá	examine, inspect
		jiǎn	simple
	简单	jiǎndān	simple
	简化	jiǎnhuà	simplify
	简写	jiǎnxiě	simplified form
	简直	jiǎnzhí	at all, simply
见		jiàn	see
	见面	jiànmiàn	meet
	见识	jiànshi	experience
	见闻	jiànwén	information
		jiàn	(a measure word)
件		jiàn	healthy, strengthen
健	健康	jiànkāng	healthy
江		jiāng	river
将		jiāng	will, take, be about to
讲	将来	jiānglái	future
		jiǎng	say, explain
	讲话	jiǎnghuà	speak, talk
	讲课	jiǎngkè	teach, to lecture
交		jiāo	associate with, hand over
	交际舞	jiāojìwǔ	ballroom dancing
	交朋友	jiāo péngyou	make friends
	交钱	jiāoqián	to pay
教		jiāo	teach
角		jiǎo	corner, angle, (a unit of money in China: 0. 1 yuan)
	角度	jiǎodù	angle, point of view
脚		jiǎo	foot
叫	脚步	jiǎobù	pace
觉		jiào	to call, shout
较		jiào	sleep
教		jiào	fairly
		jiào	teaching, religion
	教师	jiàoshī	teacher
	教室	jiàoshì	classroom
	教堂	jiàotáng	church
	教学	jiàoxué	teaching
	教学法	jiàoxuéfǎ	teaching method
	教育	jiàoyù	education
	教育部	Jiàoyùbù	Ministry of Education
	教育局	Jiàoyùjú	Education Bureau
	教员	jiàoyuán	teacher
街		jiē	street
	街道	jiēdào	street

街上	jiēshang	on the street
节	jié	festival, joint, node
节目	jiémù	programme, item
节日	jiérì	festival
结	jié	tie, knit, congeal; knot
结果	jiéguǒ	result
结婚	jiéhūn	marry
结论	jiélùn	conclusion
姐	jiě	elder sister
姐姐	jiějie	elder sister
解	jiě	separate, solve, understand
解放	jiěfàng	liberate
解决	jiějué	solve
介	jiè	be situated between
介绍	jièshào	introduce
界	jiè	boundary
借	jiè	borrow, lend
借书证	jièshūzhèng	library card
今	jīn	today, now
今后	jīnhòu	from now on
今年	jīnnián	this year
今天	jīntiān	today
	jīn	(a Chinese unit of weight: 0.5 kg)
	jīn	metal, golden, money
金沙江	Jīnshājiāng	Jinshajiang River
金属	jīnshǔ	metal
	jìn	near, approaching
	jìn	enter, advance
进步	jìnbù	progress
进口	jìnkǒu	import
进来	jìnlai	enter, come in
进去	jìnqu	enter, go into
进行	jìnxíng	go on, be in progress
	jīng	capital
	jīng	pass through
经常	jīngcháng	frequently
经过	jīngguò	pass, through
经理	jīnglǐ	manager
经商	jīngshāng	engage in trade
经验	jīngyàn	experience
经营	jīngyíng	engage in trade
	jīng	eyeball
	jīng	refined, smart; essence
精神	jīngshen	lively; spirit
	jìng	clean
	jìng	still, quiet
	jiū	investigate
	jiǔ	nine
九月	jiǔyuè	September
	jiǔ	alcoholic drink, wine
酒杯	jiǔbēi	wine cup
酒店	jiǔdiàn	large restaurant
酒瓶	jiǔpíng	wine bottle
	jiù	old, used
旧东西	jiù dōngxi	sth. second-hand
	jiù	then, as soon as, at once, only
	jū	reside, live
居住	jūzhù	live, reside
	jú	office, situation
	jú	tangerine
橘黄	júhuáng	orange colour
橘子	júzi	tangerine
	jǔ	hold, lift; whole
举办	jǔbàn	hold
举行	jǔxíng	hold (a meeting...)
	jù	sentence
句子	jùzi	sentence
	jù	occupy; according to
据说	jùshuō	it is said
	jué	decide, determine
决定	juédìng	decide; decision
	jué	absolute
绝对	juéduì	absolute
	jué	feel
觉得	juéde	feel
	jūn	army
军队	jūnduì	armed forces, troops

K

	kāi	to open, start
开车	kāichē	drive a car
开会	kāihuì	hold a meeting
开始	kāishǐ	begin
开水	kāishuǐ	boiled water
开玩笑	kāiwánxiào	crack a joke
开学	kāixué	school opens
	kàn	see, look, read
看报	kànbào	read a newspaper
看病	kànbìng	see a doctor
	kāng	health
	kǎo	take an examination, test
考试	kǎoshì	examination, test
	kē	a branch of academic study, section
科学	kēxué	science
	kē	(a measure word)
	kě	can, may, approve; but
可爱	kě'ài	lovable
可贵	kěguì	valuable

可乐	Kělè	Coca Cola
可能	kěnéng	maybe, possible
可是	kěshì	but
可以	kěyǐ	can, may; passable
	kě	thirsty
	kè	overcome; gramme
克服	kèfú	surmount
	kè	a quarter; carve
	kè	guest
客人	kèrén	guest
客厅	kètīng	drawing room
	kè	course, class, lesson
课文	kèwén	text
	kōng	empty, hollow
空中	kōngzhōng	air hostess
小姐	xiǎojiě	
空心菜	kōngxīncài	water spinach
	kòng	leave empty or blank
空儿	kòngr	free time
	kǒu	mouth
口红	kǒuhóng	lipstick
口试	kǒushì	oral test
口音	kǒuyīn	voice, accent
口语	kǒuyǔ	spoken language
	kù	trousers
裤子	kùzi	trousers, pants
	kuài	(the basic unit of money = yuan), piece
	kuài	fast, quick, rapid
快乐	kuàilè	happy, joyful
	kùn	be stranded
困难	kùnnan	difficulty

L

	la	(a modal particle)
	lái	come
	lán	blue
蓝色	lánsè	blue
	lǎn	look at, see
	lǎn	lazy, indolent
	lǎo	old; always
老虎	lǎohǔ	tiger
老年	lǎonián	old age
老人	lǎorén	the elderly
老师	lǎoshī	teacher
老师们	lǎoshī men	teachers
	le	(a modal particle, an aspect particle)

	lè	happy, enjoy
	lèi	tired, fatigued; toil
	lěng	cold
冷盘儿	lěngpánr	cold dish, hors d' oeuvres
	lí	off, away, from; leave
离婚	líhūn	divorce
离开	líkāi	leave
	lǐ	ceremony, courtesy
礼貌	lǐmào	politeness
礼品	lǐpǐn	gift
礼物	lǐwù	gift
	lǐ	(a surname)
	lǐ	inside
里边	lǐbian	inside
里面	lǐmiàn	inside
	lǐ	physics, reason
理发	lǐfà	haircut
理科	lǐkē	science department
理论	lǐlùn	theory
理想	lǐxiǎng	ideal
	lì	power, force
力气	lìqi	physical strength
	lì	found, stand, set up
立刻	lìkè	immediately
	lì	beautiful
	lì	sharp; benefit
利用	lìyòng	use
	lì	example, instance, case
例如	lìrú	for example
例子	lìzi	example
	liǎ	two persons
	lián	even; link, join, connect
	lián	unite, join
联合	liánhé	unite
联系	liánxì	contact; relation
	liǎn	face
	liàn	practice
练习	liànxí	exercise
	liàn	smelt, refine
	liáng	cool, cold
凉快	liángkuai	nice and cool
	liǎng	two
	liàng	bright; shine
	liǎo	finish, settle; (used after a verb) to a finish
了解	liǎojiě	understand
	lín	forest, (a surname)
林业	línyè	forestry
	líng	zero

零度	língdù	zero
零上	língshàng	above zero
零下	língxià	below zero
	líng	age, years
	lìng	other, another
另外	lìngwài	besides, moreover
	liú	flow, drifting
流利	liúlì	fluent
	liú	stay, remain, keep, leave
留学	liúxué	study abroad
留学生	liúxuéshēng	student studying abroad
	liù	six
六月	liùyuè	June
	lóu	a storied building
楼房	lóufáng	building
	lù	road, journey
路上	lùshang	on the way
	lǚ	travel
旅行	lǚxíng	to travel
旅行社	lǚxíngshè	travel service
	lǜ	green
绿茶	lǜchá	green tea
绿色	lǜsè	green
	luàn	at random, in disorder
	lùn	discuss; theory
论文	lùnwén	thesis

M

	mā	mum, mother
妈妈	māma	mum
	má	flax; rough, pocked; tingle
麻烦	máfan	troublesome
	mǎ	horse
马虎	mǎhu	careless
马上	mǎshàng	at once
	ma	(a modal particle)
	mǎi	buy
买卖	mǎimai	business
	mài	sell; betray
	mǎn	full, packed
满意	mǎnyì	satisfied
	màn	slow
慢慢	mànmàn	slowly
	máng	busy
	máo	wool, (a unit of money: 0.1 yuan)
毛笔	máobǐ	writing brush
毛裤	máokù	long woolen pants
毛衣	máoyī	woollen sweater

	mào	give off, risk
	mào	appearance
	me	(a suffix)
	méi	not, not have
	měi	every
每个月	měi gè yuè	every month
每天	měitiān	every day
	měi	beautiful; America
美国	Měiguó	U.S.A.
美金	měijīn	American dollar
美丽	měilì	beautiful
美食家	měishíjiā	gourmet
美术	měishù	art
美学	měixué	aesthetics
美学家	měixuéjiā	aesthete
	mèi	younger sister
妹妹	mèimei	younger sister
	mén	(a measure word); door
门口	ménkǒu	entrance
	men	(a suffix)
	mí	enchant, be lost
迷路	mílù	lose one's way
迷人	mírén	charming
	mǐ	rice, metre
米饭	mǐfàn	(cooked) rice
	mì	dense, close, thick; secret
密切	mìqiè	close, intimate
	mián	cotton
棉毛裤	miánmáokù	cotton (interlock) trousers
	miàn	face, flour, side
面包	miànbāo	bread
面积	miànjī	area
面条	miàntiáo	noodles
	mín	the people
民航	mínháng	civil aviation
	míng	name, title
名词	míngcí	noun
名牌儿	míngpáir	famous brand
名片	míngpiàn	visiting card
名人	míngrén	famous person
名著	míngzhù	famous book
名字	míngzi	name
	míng	bright, clear
明白	míngbai	understand
明晨	míngchén	tomorrow morning
明年	míngnián	next year
明天	míngtiān	tomorrow
明显	míngxiǎn	clear, obvious, evident
明星	míngxīng	star
	mó	model, standard

末	模特儿	mótèr	model
某		mò	end
母		mǒu	certain
目		mǔ	mother
	母亲	mǔqīn	mother
		mù	eye, item, catalogue
	目前	mùqián	at present

N

拿		ná	hold, take
哪	拿手	náshǒu	adept, good at
内		nǎ	which
那	哪儿	nǎr	where
男		nèi	inside
	内部	nèibù	inside, interior
	内容	nèiróng	content
		nà	that
南	那儿	nàr	there
	那么	nàme	like that, then
		nán	male
难	男孩儿	nánháir	boy
	男朋友	nán péngyou	boyfriend
	男性	nánxìng	the male sex
	男装	nánzhuāng	men's clothes
		nán	south
	南边	nánbian	the south
	南方	nánfāng	South
		nán	difficult, bad; hardly
	难吃	nánchī	taste bad
	难喝	nánhē	unpleasant to drink
	难看	nánkàn	ugly
	难说	nánshuō	it's hard to say
	难听	nántīng	unpleasant to hear
	难学	nánxué	difficult to learn
呢		ne	(a modal particle)
能		néng	can; energy, ability
	能够	nénggòu	can, be able to
	能力	nénglì	ability
你		nǐ	you
	你们	nǐmen	you
年		nián	year
	年级	niánjí	grade
	年龄	niánlíng	age
	年年	niánnián	every year
	年轻	niánqīng	young
		niàn	read aloud
念		niáng	a young woman, mother
娘		nín	you (respectful form)
您		nóng	agriculture, farmer
农			

	农村	nóngcūn	countryside
	农民	nóngmín	peasant, farmer
	农业	nóngyè	agriculture
女		nǚ	woman, daughter; female
	女朋友	nǚ péngyou	girlfriend
	女性	nǚxìng	the female sex
	女装	nǚzhuāng	women's clothes

P

怕		pà	fear, dread, be afraid of
排		pái	row; arrange
牌	排球	páiqiú	volleyball
盘		pái	cards, plate
旁	牌子	páizi	sign, plate
跑		pán	plate; (a measure word)
朋	盘子	pánzi	tray, plate
皮		páng	side
啤	旁边	pángbiān	side
片		pǎo	run
偏	跑步	pǎobù	run, march at the double
片		péng	friend
漂	朋友	péngyou	friend
票		pí	skin, leather
品	皮鞋	píxié	leather shoes
平		pí	
	啤酒	píjiǔ	beer
		piān	
		piān	leaning, slanting
	偏南	piānnán	to the south
		piàn	a flat, thin piece
		piào	
	漂亮	piàoliang	beautiful
		piào	ticket
		pǐn	article
	品种	pǐnzhǒng	variety
		píng	peaceful, flat, common
	平安	píng'ān	safe and sound
	平常	píngcháng	ordinary
	平等	píngděng	equality; equal
	平静	píngjìng	calm, tranquil
	平时	píngshí	at ordinary times
		píng	bottle, vase, jar
瓶	瓶子	píngzi	bottle
扑		pū	throw oneself on
	扑克牌	pūkèpái	poker

Q

七		qī	seven
	七月	qīyuè	July

期		qī	a period of time, phase
齐	期间	qījiān	time, period
其		qí	neat; together
		qí	his (her, its, their), he (she, it, they)
	其它	qítā	other
	其中	qízhōng	among
奇		qí	strange
骑	奇怪	qíguài	strange
棋		qí	ride (an animal or bicycle)
起		qí	chess or any board game
		qǐ	start, rise
	起飞	qǐfēi	take off
	起名字	qǐmíngzi	give a name
气		qì	air, gas
	气候	qìhòu	climate
	气象	qìxiàng	meteorology
汽		qì	vapor, steam
	汽车	qìchē	automobile
	汽车票	qìchēpiào	bus ticket
	汽车站	qìchēzhàn	bus stop
	汽水	qìshuǐ	soda water
	汽油	qìyóu	petroleum
千		qiān	thousand
前		qián	forward, before
	前边	qiánbian	in front
	前进	qiánjìn	advance
	前年	qiánnián	the year before last
	前天	qiántiān	the day before yesterday
钱		qián	money, cash
	钱包	qiánbāo	wallet
浅		qiǎn	shallow, light, superficial
	浅灰	qiǎnhuī	light grey
墙		qiáng	wall
	墙上	qiángshang	on the wall
且		qiě	just, even
切		qiè	correspond; anxious
亲		qīn	intimate; parent
	亲爱的	qīn'àide	dear
	亲近	qīnjìn	be close to
	亲密	qīnmì	intimate
青		qīng	young, green
	青春	qīngchūn	young
	青年	qīngnián	youth, young people
	青年人	qīngniánrén	youth
轻		qīng	softly, light
	轻声	qīngshēng	in a soft voice
清		qīng	clear
	清楚	qīngchu	clear
情		qíng	feeling

晴		qíng	clear, fine
请	晴天	qíngtiān	fine day
		qǐng	ask, invite, please, request
	请求	qǐngqiú	ask, request
	请问	qǐngwèn	excuse me
秋		qiū	autumn
	秋季	qiūjì	autumn
	秋天	qiūtiān	autumn
求		qiú	request, demand
球		qiú	ball, globe
	球迷	qiúmí	(ball game) fan
区		qū	classify
	区别	qūbié	difference
曲		qǔ	melody, tune
	曲子	qǔzi	tune, melody
去		qù	go
	去年	qùnián	last year
	去世	qùshì	die, pass away
趣		qù	interest
全		quán	complete
	全国	quánguó	the whole country
	全集	quánjí	complete works
	全面	quánmiàn	overall, comprehensive
	全体	quántǐ	all, everyone
却		què	but, yet
确		què	true, real; really
	确实	quèshí	really; reliable

R

然		rán	so, right
	然后	ránhòu	then; after that
让		ràng	let, give way; by (passive form)
热		rè	hot; heat
人		rén	man, person, people
	人大	Rén Dà	National People's Congress
	人口	rénkǒu	population
	人民	rénmín	the people
	人生	rénshēng	life
	人物	rénwù	personage
	人性	rénxìng	human nature
认		rèn	recognize, admit
	认识	rènshi	know, understand
	认为	rènwéi	consider
	认真	rènzhēn	serious
日		rì	day, sun
	日报	rìbào	daily paper
	日本	Rìběn	Japan

日期	rìqī	date
日文	Rìwén	Japanese
日用品	rìyòngpǐn	daily articles
日语	Rìyǔ	Japanese
	róng	looks; permit
容易	róngyì	easy
肉	ròu	meat
肉片	ròupiàn	sliced meat
肉丝	ròusī	shredded meat
	rú	if, as, be as good as
如果	rúguǒ	if
如何	rúhé	how

S

	sài	match, game
	sān	three
三月	sānyuè	March
	sǎo	elder brother's wife
嫂子	sǎozi	elder brother's wife
	sè	colour
	shā	sand
	shān	hill, mountain
山东	Shāndōng	Shandong (Province)
山西省	Shānxī Shěng	Shanxi Province
	shāng	commerce; discuss
商场	shāngchǎng	market, bazaar
商店	shāngdiàn	shop
商品	shāngpǐn	commodity
商人	shāngrén	businessman
商业	shāngyè	commerce
	shàng	up, higher; mount, go to
上边	shàngbian	above, over
上车	shàngchē	get on a bus
上海	Shànghǎi	Shanghai
上课	shàngkè	go to class
上来	shànglái	come up
上去	shàngqù	go up
上午	shàngwǔ	forenoon
上衣	shàngyī	upper outer garment
	shāo	run a fever, burn
	shǎo	few, little; be short
	shào	carry on, continue
	shè	house, shed, hut
	shè	agency, society
社会	shèhuì	society
	shēn	body
身材	shēncái	stature, figure
身份证	shēnfènzhèng	identity card
身体	shēntǐ	body
	shēn	dark, deep
深蓝	shēnlán	dark blue
	shén	spirit, deity, god
	shén	
什么	shénme	what, which
什么样	shénmeyàng	what model
	shēng	give birth to, grow; life; raw
生病	shēngbìng	fall ill
生词	shēngcí	new word
生活	shēnghuó	life; live
生气	shēngqì	get angry
生日	shēngrì	birthday
	shēng	voice
声音	shēngyīn	sound
	shěng	province; economize
	shī	teacher
师大	shīdà	normal school
师傅	shīfu	master worker
师生	shīshēng	teacher and students
	shī	poem
诗人	shīrén	poet
	shí	ten
十二月	shí'èryuè	December
十一月	shíyīyuè	November
十月	shíyuè	October
	shí	time, moment
时代	shídài	epoch
时候	shíhou	moment
时间	shíjiān	time
时装	shízhuāng	fashionable dress
	shí	know; knowledge
	shí	solid, true; reality
实现	shíxiàn	realize
	shí	food; eat
食堂	shítáng	canteen, mess hall
食物	shíwù	food
	shǐ	make, use, employ, send
使人	shǐ rén	enable someone to
使用	shǐyòng	use, employ
	shǐ	beginning
	shì	world
世界	shìjiè	world
世界杯	Shìjièbēi	World Cup
	shì	market, city
市场	shìchǎng	market, marketplace
	shì	show
	shì	type, style, form, pattern
式样	shìyàng	style, type, model

事		shì	thing, affair, matter
	事儿	shìr	thing, affair
	事情	shìqing	thing, affair
	事业	shìyè	career
视		shì	look at, regard
	视觉	shìjué	visual sense
试		shì	try, test
室		shì	room
是		shì	be
适		shì	fit; suitable
收		shōu	receive
	收到	shōudào	receive
手		shǒu	hand
	手表	shǒubiǎo	wrist watch
	手提包	shǒutíbāo	handbag
	手续	shǒuxù	formalities
首		shǒu	head
	首都	shǒudū	capital (of a country)
	首先	shǒuxiān	first
瘦		shòu	thin, emaciated, lean
	瘦肉	shòuròu	lean meat
	瘦小	shòuxiǎo	thin and small
书		shū	book; write
	书包	shūbāo	satchel
	书店	shūdiàn	bookshop
	书法	shūfǎ	calligraphy
	书架	shūjià	bookshelf
	书面语	shūmiànyǔ	written language
叔		shū	uncle
	叔叔	shūshu	uncle, (a child's form of address for any young man one generation its senior)
舒		shū	leisurely; stretch
	舒服	shūfu	comfortable
熟		shú	ripe, cooked, done, familiar
	熟人	shúrén	acquaintance
	熟悉	shúxi	know sth. or sb. well, be familiar
属		shǔ	be born in the year of, belong to
术		shù	skill, technique, art
树		shù	tree
数		shù	mathematics, number
	数学	shùxué	mathematics
双		shuāng	pair, double
谁		shuí	who
水		shuǐ	water
	水果	shuǐguǒ	fruit
	水平	shuǐpíng	horizontal level
睡		shuì	sleep
	睡觉	shuìjiào	sleep
	睡懒觉	shuìlǎnjiào	get up late
说		shuō	say, speak, talk
	说不上	shuōbúshàng	cannot say
	说话	shuōhuà	speak, talk
丝		sī	silk, a thread like object
司		sī	take charge, attend to
	司机	sījī	driver
思		sī	think
	思考	sīkǎo	think deeply
	思想	sīxiǎng	thought, ideology
死		sǐ	die; to death
	死了	sǐle	extremely; dead
四		sì	four
	四合院	sìhéyuàn	a compound with houses around a square courtyard, quadrangle
	四世同堂	sìshìtóngtáng	four generations live together
送		sòng	give
	送给	sònggěi	give
	送礼	sònglǐ	give sb. a present
诉		sù	tell
素		sù	vegetable, element; plain
	素菜	sùcài	vegetable dish
宿		sù	lodge for the night
	宿舍	sùshè	dormitory, hostel
算		suàn	calculate, compute
岁		suì	year (of age)
	岁数	suìshù	age
所		suǒ	place
	所以	suǒyǐ	so, therefore
	所有的	suǒyǒu de	own, all

T

他		tā	he
	他的	tā de	his
	他们	tāmen	they
她		tā	she
	她的	tā de	her
	她们	tāmen	they (female)
它		tā	it
台		tái	stand, platform, station
太		tài	extremely, too
	太太	tàitai	madam, wife
堂		táng	a hall for a specific purpose
躺		tǎng	lie
	躺椅	tǎngyǐ	deck chair, lazy chair

躺着	tǎngzhe	lying
套	tào	(a measure word)
特	tè	special
特别	tèbié	special; especially
特点	tèdiǎn	characteristic
疼	téng	ache, be fond of
踢	tī	kick, play
提	tí	carry in one's hand, lift, raise
提高	tígāo	raise, heighten
提前	tíqián	move up (a date)
提问	tíwèn	put question to
题	tí	problem, subject
体	tǐ	body
体操	tǐcāo	gymnastics, aerobics
体温	tǐwēn	(body) temperature
体育	tǐyù	sports
天	tiān	day, sky, heaven
天气	tiānqì	weather
天天	tiāntiān	everyday
添	tiān	add, increase
条	tiáo	(a measure word); strip
条件	tiáojiàn	condition
跳	tiào	jump, bounce
跳舞	tiàowǔ	dance
贴	tiē	stick, paste
铁	tiě	iron
厅	tīng	hall
听	tīng	listen
听不懂	tīngbùdǒng	can't understand
听得懂	tīngdedǒng	can understand
听得见	tīngdejiàn	can hear
听见	tīngjiàn	hear
听觉	tīngjué	sense of hearing
听说	tīngshuō	heard of
听写	tīngxiě	dictate; dictation
庭	tíng	front yard, law court
停	tíng	stop
停车场	tíngchēchǎng	parking lot
停住	tíngzhù	stop
挺	tǐng	very; straight; stick out
通	tōng	open, notify, connect
通过	tōngguò	by; pass through
通知	tōngzhī	notify, inform
同	tóng	together; same
同时	tóngshí	at the same time
同学	tóngxué	classmate
同意	tóngyì	agree
同志	tóngzhì	comrade
统	tǒng	unite; all
头	tóu	head, hair, chief

头发	tóufa	hair
图	tú	map, picture
图片	túpiàn	picture
图书馆	túshūguǎn	library
腿	tuǐ	leg
退	tuì	retreat, return
退休	tuìxiū	retire
托	tuō	hold in the palm, entrust
托运	tuōyùn	to check, consign for shipment

W

外	wài	outside
外边	wàibian	outside
外国	wàiguó	foreign country
外号	wàihào	nickname
外科	wàikē	surgery
外面	wàimiàn	outside
外文	wàiwén	foreign language
外语	wàiyǔ	foreign language
完	wán	finsh, be over, end
玩	wán	to play, enjoy
玩儿	wánr	to play
晚	wǎn	evening, night; late
晚报	wǎnbào	evening paper
晚饭	wǎnfàn	dinner
晚年	wǎnnián	old age
晚上	wǎnshang	night
碗	wǎn	bowl; (a measure word)
王	wáng	(a surname), king
忘	wàng	forget
忘记	wàngjì	forget
望	wàng	hope, look over
为	wéi	be, do, act, become
围	wéi	around
围棋	wéiqí	weiqi (a game)
为	wèi	for
为了	wèile	for
为什么	wèishénme	why
未	wèi	have not
未来	wèilái	future
位	wèi	(a measure word); place
温	wēn	temperature; warm
温度	wēndù	temperature
文	wén	writing, article
文化	wénhuà	culture
文静	wénjìng	gentle and quiet
文科	wénkē	liberal arts
文学	wénxué	literature

文学家	wénxuéjiā	man of letters
文艺	wényì	literature & art
文	wén	hear, smell; news
问	wèn	ask
问号	wènhào	question mark
问题	wèntí	question, problem
我	wǒ	I, me
我的	wǒ de	my, mine
我们	wǒmen	we, us
握	wò	hold, grasp
握着	wòzhe	shake hands
屋	wū	house, room
屋子	wūzi	room
五	wǔ	five
五四运动	WǔSì Yùndòng	the May 4th Movement of 1919
五颜六色	wǔyán-liùsè	multicoloured
五月	wǔyuè	May
午	wǔ	noon
午饭	wǔfàn	lunch
舞	wǔ	dance
务	wù	affair; be engaged
物	wù	thing, matter
物理	wùlǐ	physics

X

西	xī	west
西边	xībian	the west
西餐	xīcān	Western-style food
西方人	xīfāng rén	Westerner
西服	xīfú	Western-style clothes
西瓜	xīguā	watermelon
西式	xīshì	Western style
西药	xīyào	Western medicine
西医	xīyī	(a doctor trained in) Western medicine
希	xī	hope
希望	xīwàng	hope
息	xī	breath, interest
悉	xī	know
习	xí	practice
习惯	xíguàn	habit, custom
喜	xǐ	be fond of; happy
喜欢	xǐhuān	to like
系	xì	system, department; relate to
细	xì	slender, careful
细心	xìxīn	careful
下	xià	below, down, next
下边	xiàbian	below, under
下车	xiàchē	get off a car

下酒菜	xiàjiǔcài	a dish that goes with alcoholic drinks
下课	xiàkè	finish class
下去	xiàqù	go down
下午	xiàwǔ	afternoon
下星期	xià xīngqī	next week
下雪	xiàxuě	snow
下雨	xiàyǔ	rain
夏	xià	summer
夏季	xiàjì	summer
夏天	xiàtiān	summer
先	xiān	earlier, first; before
先生	xiānsheng	Mr., gentleman
显	xiǎn	be apparent, show
县	xiàn	county
县城	xiànchéng	county seat
现	xiàn	present; appear
现代	xiàndài	modern times
现象	xiànxiàng	phenomenon
现在	xiànzài	now
相	xiāng	each other
相反	xiāngfǎn	contrary
相信	xiāngxìn	believe in
香	xiāng	fragrant, appetizing
香水	xiāngshuǐ	perfume
想	xiǎng	want to, think
想念	xiǎngniàn	miss
想法	xiǎngfǎ	idea, opinion
向	xiàng	direction; face; towards
相	xiàng	looks, appearance
相片	xiàngpiàn	photo
象	xiàng	appearance, elephant
象棋	xiàngqí	Chinese chess
像	xiàng	be like, portrait
小	xiǎo	small
小孩儿	xiǎoháir	child
小伙子	xiǎohuǒzi	lad, young fellow
小姐	xiǎojiě	Miss
小朋友	xiǎopéngyou	children, child
小时	xiǎoshí	hour
小说	xiǎoshuō	novel
小学	xiǎoxué	primary school
小学生	xiǎoxuéshēng	schoolchild
校	xiào	school
笑	xiào	laugh, smile
笑话	xiàohua	jeer at, laugh at; joke
些	xiē	some
鞋	xié	shoes
鞋店	xiédiàn	shoe store

写		xiě	write
谢		xiè	thank
心	谢谢	xièxie	thank you
	心情	xīn	heart, centre
	心中	xīnqíng	frame of mind
新		xīnzhōng	in the heart
		xīn	new
	新年	xīnnián	New Year
	新奇	xīnqí	strange
	新闻	xīnwén	news
信		xìn	letter, faith, sign
	信封	xìnfēng	envelope
	信心	xìnxīn	confidence
兴		xīng	prosper, rise, start
星		xīng	star
	星期	xīngqī	week
	星期二	xīngqī'èr	Tuesday
	星期六	xīngqīliù	Saturday
	星期日	xīngqīrì	Sunday
	星期三	xīngqīsān	Wednesday
	星期四	xīngqīsì	Thursday
	星期天	xīngqītiān	Sunday
	星期五	xīngqīwǔ	Friday
	星期一	xīngqiyī	Monday
行		xíng	walk; all right
	行李	xíngli	baggage, luggage
兴		xìng	mood or desire to do sth.
	兴趣	xìngqù	interest
姓		xìng	surname, family name
	姓名	xìngmíng	full name
幸		xìng	good fortune
	幸福	xìngfú	happiness
性		xìng	nature, sex
	性格	xìnggé	nature, disposition
休		xiū	rest, stop, cease
	休息	xiūxi	have a rest
需		xū	need; necessaries
	需求	xūqiú	requirement; demand
	需要	xūyào	need
许		xǔ	maybe
	许多	xǔduō	many
续		xù	continue, add
选		xuǎn	select
	选用	xuǎnyòng	select, choose
	选择	xuǎnzé	select
学		xué	to study; learning
	学年	xuénián	school year
	学期	xuéqī	semester
	学生	xuéshēng	student
	学生证	xuéshēngzhèng	student's card

	学位	xuéwèi	academic degree
	学问	xuéwèn	systematic learning
	学习	xuéxí	study
	学校	xuéxiào	school
	学院	xuéyuàn	college
	学者	xuézhě	scholar
雪		xuě	snow

Y

严		yán	severe, strict, tight
	严格	yángé	strict
	严重	yánzhòng	grave, serious
言		yán	speech, word
研		yán	study
	研究	yánjiū	research
	研究会	yánjiūhuì	research association
	研究生	yánjiūshēng	graduate student
	研究所	yánjiūsuǒ	research institute
	研究员	yánjiūyuán	research fellow
颜		yán	colour, face
	颜色	yánsè	colour
眼		yǎn	eye
	眼界	yǎnjiè	field of vision
	眼睛	yǎnjing	eye
	眼科	yǎnkē	ophthalmology
	眼前	yǎnqián	at the moment
演		yǎn	perform
	演唱	yǎnchàng	sing (in a performance)
	演员	yǎnyuán	actor or actress
验		yàn	examine
羊		yáng	sheep
样		yàng	appearance, shape, sample
要		yāo	demand, ask, force
	要求	yāoqiú	demand
药		yào	medicine
	药店	yàodiàn	pharmacy
	药方	yàofāng	prescription
要		yào	want, ask for, need
	要是	yàoshi	if, in case
也		yě	too, also
	也许	yěxǔ	perhaps
业		yè	course of study, trade
夜		yè	night
	夜间	yèjiān	at night
	夜里	yèli	at night
	夜晚	yèwǎn	night
一		yī	one
	一般	yìbān	generally

一点儿	yìdiǎnr	a little
一定	yídìng	certainly, surely
一共	yígòng	in all, total
一刻	yíkè	a moment
一刻钟	yíkèzhōng	a quarter of an hour
一块儿	yíkuàir	together
一路	yílù	all the way
一齐	yìqí	in unison
一起	yìqǐ	together
一切	yíqiè	all
一下	yíxià	once
一些	yìxiē	some, certain
一样	yíyàng	same
一月	yīyuè	January
一直	yìzhí	straight, always
一致	yízhì	showing no difference
衣	yī	clothes
衣服	yīfu	clothing
医	yī	medical science
医生	yīshēng	doctor
医学	yīxué	medicine
医院	yīyuàn	hospital
已	yǐ	already
已经	yǐjīng	already
以	yǐ	use, take; according to
以后	yǐhòu	after
以前	yǐqián	before, formerly
以上	yǐshàng	over, more than
以为	yǐwéi	believe
椅	yǐ	chair
椅子	yǐzi	chair
艺	yì	art, skill
艺术	yìshù	art
议	yì	discuss
议论	yìlùn	talk about, discuss
译	yì	translate
易	yì	easy
意	yì	idea, meaning
意见	yìjiàn	idea, opinion, view
意思	yìsi	meaning, opinion
因	yīn	because of; reason
因为	yīnwèi	because
阴	yīn	overcast
阴天	yīntiān	overcast sky
音	yīn	sound
音乐	yīnyuè	music
音乐会	yīnyuèhuì	concert
应	yīng	should, answer
应当	yīngdāng	should

应该	yīnggāi	should
英	yīng	Britain, hero
英国	Yīngguó	Britain
英文	Yīngwén	English
英语	Yīngyǔ	the English language
营	yíng	operate
营业员	yíngyèyuán	shop employee
影	yǐng	shadow
影片	yǐngpiānr	film
应	yìng	comply with
应用	yìngyòng	apply, use
映	yìng	reflect, mirror
永	yǒng	forever
永远	yǒngyuǎn	forever
泳	yǒng	swim
用	yòng	use
用法	yòngfǎ	usage
用品	yòngpǐn	articles for use
邮	yóu	post, mail
邮局	yóujú	post office
邮票	yóupiào	stamp
油	yóu	oil
油画	yóuhuà	oil painting
游	yóu	swim, travel
游览	yóulǎn	to tour
游泳	yóuyǒng	swim
友	yǒu	friend
有	yǒu	have, there is
有抱负	yǒubàofu	have high aspirations
有的	yǒude	some
有点儿	yǒudiǎnr	a little, some
有关	yǒuguān	relate to
有空儿	yǒukòngr	have time
有利	yǒulì	advantageous
有名	yǒumíng	famous
有情人	yǒuqíngrén	lover
有时候	yǒushíhou	sometimes
有学问	yǒuxuéwèn	learned, knowledgeable
有意思	yǒuyìsi	interesting
又	yòu	again
又…又	yòu... yòu	both... and
右	yòu	the right
右边	yòubian	the right side
右面	yòumian	the right side
于	yú	in, at
鱼	yú	fish
鱼肉	yúròu	the flesh of fish
鱼香	yúxiāng	"fish-smelling", hot
与	yǔ	and
雨	yǔ	rain

语	yǔ	language
语法	yǔfǎ	grammar
语文	yǔwén	Chinese (as a subject of study)
语言	yǔyán	language
语言学	yǔyánxué	linguistics
语音	yǔyīn	pronunciation
育	yù	educate, rear
预	yù	in advance
预报	yùbào	forecast
预习	yùxí	prepare lessons
遇	yù	meet
遇见	yùjiàn	meet
员	yuán	sb. in a field of activity
园	yuán	a place for public recreation
圆	yuán	circular; circle
圆明园	Yuánmíngyuán	Yuanmingyuan Park
远	yuǎn	far, distant
院	yuàn	yard, institude
院子	yuànzi	courtyard
约	yuē	about; make an appointment
约会	yuēhuì	appointment
月	yuè	month, the moon
月份	yuèfèn	month
越	yuè	get over, overstep
越来越	yuèláiyuè	more and more
乐	yuè	music
云	yún	cloud
运	yùn	move, transport
运动	yùndòng	sports
运动场	yùndòngchǎng	sports ground
运动衣	yùndòngyī	sportswear
运动员	yùndòngyuán	sportsman

Z

杂	zá	mixed
杂文	záwén	essay
杂志	zázhì	magazine
再	zài	again, once more
再见	zàijiàn	good-bye
在	zài	be at, in
咱	zán	we or us (including the speaker and listener)
咱们	zánmen	we (including the speaker and listener)
早	zǎo	morning; long ago, early
早晨	zǎochén	morning
早饭	zǎofàn	breakfast
早年	zǎonián	one's early years
早上	zǎoshang	morning
则	zé	standard, rule

择	zé	choose
怎	zěn	how
怎么	zěnme	how, why
怎么样	zěnmeyàng	how
增	zēng	increase, add, gain
增加	zēngjiā	increase
增添	zēngtiān	add, increase
展	zhǎn	open up; exhibition
展览	zhǎnlǎn	exhibition
展览馆	zhǎnlǎnguǎn	exhibition hall
站	zhàn	stand, station
张	zhāng	(a measure word); to open
长	zhǎng	chief; grow; older
招	zhāo	beckon, recruit
招呼	zhāohu	call
着	zháo	touch, be affected by
着凉	zháoliáng	be affected by cold
找	zhǎo	look for
找到	zhǎodào	have found
照	zhào	shine, illuminate
照片	zhàopiàn	photo
照相	zhàoxiàng	to photograph
照相机	zhàoxiàngjī	camera
着	zhe	(a verbal particle)
者	zhě	(a suffix)
这	zhè	this
这儿	zhèr	here
真	zhēn	real, true; really
整	zhěng	tidy, whole
整个	zhěnggè	whole, entire
整齐	zhěngqí	neat
正	zhèng	straight, upright
正常	zhèngcháng	normal
正好	zhènghǎo	just right
正确	zhèngquè	correct, right
正式	zhèngshì	formal, official
正在	zhèngzài	in process of
证	zhèng	demonstrate, prove
证明	zhèngmíng	testify, prove
证书	zhèngshū	certificate
之	zhī	(a structural particle); of
之间	zhī jiān	between, among
之中	zhī zhōng	among
之一	zhī yī	one of
支	zhī	(a measure word); prop up
支持	zhīchí	sustain, support
知	zhī	know; knowledge
知道	zhīdào	know
知名	zhīmíng	celebrated

知识	zhīshi	knowledge
知识分子	zhīshifènzǐ	intellectual
	zhí	straight
	zhí	job, post, duty
职工	zhígōng	staff and workers
职业	zhíyè	profession
职员	zhíyuán	office worker
	zhǐ	only
只有	zhíyǒu	only, alone
	zhǐ	location, address
	zhì	records
	zhì	send; incur
	zhōng	centre; middle
中餐	zhōngcān	Chinese meal
中国	Zhōngguó	China
中国菜	Zhōngguó cài	Chinese meal
中间	zhōngjiān	between, among; middle
中年	zhōngnián	middle age
中式	zhongshì	Chinese style
中文	Zhōngwén	Chinese
中午	zhōngwǔ	noon
中心	zhōngxīn	centre
中学	zhōngxué	middle school
中药	zhōngyào	traditional Chinese medicine
	zhōng	clock, bell
	zhǒng	kind, sort, seed
	zhòng	grow, plant
种花	zhònghuā	grow flowers
	zhòng	weight; heavy
重点	zhòngdiǎn	focal point
重要	zhòngyào	important
	zhōu	circuit, week; thoughtful
周末	zhōumò	weekend
周围	zhōuwéi	around
	zhǔ	host, owner, master
主持人	zhǔchírén	anchorman, hostess
主人	zhǔrén	master
主要	zhǔyào	main
	zhù	live
住处	zhùchù	residence
	zhù	to help
	zhù	fix; notes
注意	zhùyì	pay attention to
	zhù	wish
	zhù	write; marked
著名	zhùmíng	famous, celebrated
著作	zhùzuò	writings, work
	zhuān	special
专业	zhuānyè	speciality

	zhuǎn	transfer, change
	zhuāng	clothing; pretend
	zhǔn	allow, grant; certainly
准备	zhǔnbèi	intend, prepare
准时	zhǔnshí	on time
	zhuō	table
桌上	zhuōshang	on the table
桌子	zhuōzi	table
	zǐ	child; (a suffix)
	zì	word; character
字典	zìdiǎn	dictionary
	zì	self; from
自然	zìrán	nature
自行车	zìxíngchē	bicycle
	zǒng	always; total
总是	zǒngshì	always
	zǒu	walk, go, leave
走路	zǒulù	walk
	zū	rent
	zú	foot
足球	zúqiú	football
足球场	zúqiúchǎng	football ground
足球赛	zúqiúsài	football match
	zǔ	ancestor, grandfather
祖父	zǔfù	grandfather
祖国	zǔguó	one's country
祖母	zǔmǔ	grandmother
	zuì	most, -est
最大	zuì dà	biggest
最后	zuì hòu	final; lastly
最近	zuì jìn	recently
最小	zuì xiǎo	smallest
	zuó	yesterday
昨天	zuótiān	yesterday
	zuǒ	the left
左边	zuǒbian	the left side
左面	zuǒmian	the left side
左右	zuǒyòu	about
	zuò	do
作法	zuòfǎ	course of action
作家	zuòjiā	writer
作文	zuòwén	composition
作业	zuòyè	homework
作者	zuòzhě	author
	zuò	sit
坐着	zuòzhe	sitting
	zuò	seat; (a measure word)
座位	zuòwèi	seat, place
	zuò	do

练 习 答 案
Key to the Exercises

识字一	一、B	二、B	三、D		◆	一、D	二、C	三、B
识字二	一、D	二、A	三、A	四、AB	◆	一、ABD	二、C	三、B
识字三	一、C	二、D	三、D	四、B	◆	一、C	二、CD	三、C
识字四	一、C	二、B	三、C	四、C	◆	一、B	二、C	三、B
识字五	一、B	二、B	三、C	四、A	◆	一、B	二、C	三、BC
识字六	一、AB	二、B	三、C	四、C	◆	一、CD	二、C	三、AB
识字七	一、AB	二、AB	三、C	四、A	◆	一、C	二、B	三、D
识字八	一、C	二、C	三、B	四、B	◆	一、D	二、BCD	三、AC
识字九	一、D	二、AD	三、C	四、C	◆	一、C	二、B	三、B
识字十	一、C	二、C	三、B	四、D	◆	一、B	二、C	三、C
识字十一	一、D	二、B	三、D	四、D	◆	一、C	二、D	三、BD
识字十二	一、C	二、B	三、C	四、D	◆	一、D	二、D	三、D
识字十三	一、B	二、D	三、D	四、D	◆	一、C	二、D	三、D
识字十四	一、B	二、C	三、C	四、D	◆	一、D	二、D	三、D
识字十五	一、C	二、A	三、C	四、B	◆	一、D	二、B	三、C
识字十六	一、C	二、B	三、C	四、AD	◆	一、D	二、B	三、D
识字十七	一、D	二、D	三、A	四、C	◆	一、CD	二、C	三、B
识字十八	一、AB	二、A	三、D	四、C	◆	一、A	二、D	三、BCD
识字十九	一、B	二、D	三、AB	四、C	◆	一、C	二、D	三、A
识字二十	一、B	二、C	三、A	四、B	◆	一、C	二、C	三、BC
识字二十一	一、B	二、B	三、B	四、B	◆	一、C	二、D	三、CD
识字二十二	一、D	二、D	三、B	四、A	◆	一、D	二、BC	三、C
识字二十三	一、B	二、D	三、C	四、D	◆	一、D	二、BCD	三、B
识字二十四	一、A	二、D	三、D	四、D	◆	一、C	二、C	三、B
识字二十五	一、A	二、C&D	三、C	四、B	◆	一、B	二、C	三、ABC

责任编辑：贾寅淮 郁 苓
封面设计：禹 田

《新编基础汉语·识字篇》
集中识字
张朋朋 著
*
©华语教学出版社
华语教学出版社出版
（中国北京百万庄路 24 号）
邮政编码 100037
电话: 010-68320585
传真: 010-68326333
网址：www. sinolingua.com.cn
电子信箱：hyjx@sinolingua.com.cn
北京密兴印刷厂印刷
中国国际图书贸易总公司海外发行
（中国北京车公庄西路 35 号）
北京邮政信箱第 399 号 邮政编码 100044
新华书店国内发行
2001 年（16 开）第一版
2008 年第六次印刷
（汉英）
ISBN 978-7 - 80052 - 695 - 4
9－CE－3418P
定价：24.00 元